U0064647

劉福春・李怡 主編

民國文學珍稀文獻集成

第四輯

新詩舊集影印叢編　第137冊

【柯仲平卷】

風火山（下）

上海：新興書店 1930 年 5 月出版

柯仲平 著

花木蘭文化事業有限公司

國家圖書館出版品預行編目資料

風火山（下）／柯仲平 著 -- 初版 -- 新北市：花木蘭文化事業有限公司，2023〔民 112〕

238 面；19×26 公分

（民國文學珍稀文獻集成・第四輯・新詩舊集影印叢編 第 137 冊）

ISBN 978-626-344-144-6（全套：精裝）

831.8 111021633

ISBN-978-626-344-144-6

9 786263 441446

民國文學珍稀文獻集成・第四輯・新詩舊集影印叢編（121-160 冊）
第 137 冊

風火山（下）

著　者 柯仲平
主　編 劉福春、李怡
企　劃 四川大學中國詩歌研究院
四川大學大文學學派
總編輯 杜潔祥
副總編輯 楊嘉樂
編輯主任 許郁翎
編　輯 張雅淋、潘玟靜　美術編輯 陳逸婷
出　版 花木蘭文化事業有限公司
發行人 高小娟
聯絡地址 235 新北市中和區中安街七二號十三樓
電話：02-2923-1455／傳真：02-2923-1452
網　址 http://www.huamulan.tw 信箱 service@huamulans.com
印　刷 普羅文化出版廣告事業
初　版 2023 年 3 月
定　價 第四輯 121-160 冊（精裝）新台幣 100,000 元

風火山（下）

柯仲平 著

第　四　幕

人吃人

登場人：

李家大姑娘

大姑娘的母親

彭木匠

媽媽(木匠妻)

木匠子

牽馬婆

軍需長

叫化頭

班長

兵一

兵二

兵三

兵四

傳令兵一

佈景：

兩間貧民房，中隔一堵薄板壁。右是李家，李家大姑娘的父親原是中學校的老書記，但已經死了，只母女倆：母四十來歲，女十八九，衣破舊，因圍城太久，到今夜甚麼吃的也沒有了。左是彭木匠家，三口人都還在，父四十多歲，母只三十來，孩子七歲。因飛機曾來擲炸彈，牆半倒了，房瓦多破落，還是炸彈不曾開花呢。明月常到他們兩家來。

幕開，只看見李家屋，床板舖地，母女對坐床上。

（沈默了一會）

大姑娘　媽，你別擔心！城不開，就是有錢也餓死，——到陰朝地府去，我們一家子都會見了……

母親　世面我見過很多了，總沒這樣凶！——我死了能變多少米麵來給你，那怕變豬變羊給你，——我都願——

大姑娘　媽

母親　都好的。我對不起你父親！

大姑娘　唉　誰要我去做丫頭，要我，只要他給我的媽媽吃！

母親　—

大姑娘　——

母親　唉喲——你總得找點東西吃——你出門去走走好嗎？

大姑娘　餓起來臉皮就很厚。那回我出去，有個軍人給我一塊餅。他還說，有的時候他再來。這

夜裏街上只有鬼走路了

母親 還有水嗎?給我喝一點!

大姑娘 水還有的。

(去打一碗水來

大姑娘 水是越喝越難受的,少喝些。

(喝吧,女擱碗,沈默。)

大姑娘 天門開,神仙灑下黃金來,

地門開,跑出了一個妖怪;

妖怪手裏拿着一個饃,

只要他分我半個,

我跟妖怪去,我跟他去,

那怕你神仙下來緊緊拉着我。

母親 把一千兩黃金去買一個也買不着?

還有多少人家私自埋着米麥呢!

大姑娘 我要是那點金人,

我將世界點成金,

我拿着那半個饃饃——

'請吧!太太小姐先生們'!

太太小姐先生們都不會答應

母親發笑了

呂洞賓吃我家酒，
酒後在我手上畫文錢，
我取了用，用了又會有。
過後他又來吃酒，
我請求，在我左手上畫個燒餅，
　右手上畫塊牛肉！
我的請求沒說完，天！
呂洞賓已倒下了，死了——
仙家也怕這請求！

　　母親　仙家拉的是黃金屎——

　　大姑娘　從雜麵吃到麩子，
從麩子吃到油渣，
從油渣吃到草根樹皮，
草根樹皮也沒了，還吃甚麼呢？！
自己吃自己？
天啊！自己吃自己！

　　母親　你還記得爹爹說的？
有一回雲南鬧飢荒，
有個地方是吃觀音土。

　　大姑娘　爹爹講的我都全記得。

母親　啊！大慈大悲靈感觀世音！

大姑娘　把萬打萬的餓肚人帶到一個繁華的城市來，

一個個套上裝米的麻布口袋，

二十四串錢一拼，隨你拼，

沒有買成的，不得先打開來看；

有要買妻子却買着老太婆的，

買兒子買丫頭却買着父親的，

碰運氣，二十四串錢一拼！

只要得吃飯，得吃飯呵！

萬打萬的餓鬼都情願跟上城裏來！

母親　天那有好生之德！人——

（隔壁的小孩子哀叫。母女突然靜默一下。女往板壁縫上看

孩子　媽媽！媽媽！

媽媽　我的乖乖，我兒聽話，爸爸回來給乖乖吃香香糖。

孩子　我——我肚子餓！

媽媽　那個老魔魔給我兒的肚子餓嗎？等爸爸回來，爸爸去殺牠！像殺一個雞——

孩子　媽！爸爸不回來？

媽媽　一會就回來，爸爸去買餅買饃饃來給我的寶貝吃——

母親　彭大叔還沒回來嗎?

媽媽　一下天了，好歹總得弄一點——死馬的骨頭都很好!

孩子　媽!我不吃死馬骨頭!我要吃豬肉!

媽媽　那個敢給我兒吃死馬骨頭呀? 爸爸要煮肥肥的豬肉給我兒吃——寶寶是聽話的!

大姑娘　豬肉肥肥的，
煮給弟弟吃，
弟弟吃大碗，
弟弟多好，弟弟不淘氣!

孩子　大姐!我也分你吃一塊!

大姑娘　小弟弟多乖，
分我吃一塊，
過天我買布，
給小弟弟做雙花鞋，
小弟弟!

孩子　嗳唉!

大姑娘　花鞋你愛不愛?

孩子 愛！我有大碗肉，我分姐兩塊，姐姐做雙花鞋給我穿！奶奶，奶奶！

張打鐵，李打鐵，

打把剪子送姐姐，

姐姐留我歇，我不歇，

我去張家樓上學打鐵——

打到正月正，獅子鬧龍燈；

打到二月二，龍抬頭；

打到三月三，季菜花兒賽牡丹；

打到四月四，四個銅錘溜個字；

打到五月五，五支龍船飄花鼓；

打到六月六，家家門前晒紅綠；

打到七月七，七個菓子甜如蜜；

打到八月八，八牙西瓜拱月牙；

打到九月九，九朵菊花泡燒酒；

打到十月十，十個老官偷屎吃；

打到冬月冬，家家烤火籠；

打到臘月八，稀飯煮臘臘。

（大家都憐愛的笑了）

大姑娘 老鴉喜歡打破蛋——

　　孩子　上咕嚕台，下咕嚕台，
打發娘子下凡來，
娘子娘子怪好看——
紅衣裳，綠裙子，藍繡鞋，
千人見了萬人愛。

小弟送姐回姐家，
樹上一隻黑老鴉，
老鴉叫嘎嘎，叫嘎嘎。
叫過去，叫過來，
老鴉老鴉多喜歡，
老鴉老鴉喜歡打破蛋！”
（大家又都笑了）
　　母親　一滴露水一棵草，
天不生無路之人！
　　大姑娘　天是一個大渾蛋，
人是一些可憐虫，
誰把天機洩漏，
火燒萬花樓！
　　孩子　姐姐！教我唱呀！

大姑娘　唱吧——

天是一個大渾蛋！

孩子　天是一個大渾蛋！

大姑娘　地是一個小渾蛋！

孩子　地是一個小渾蛋！

大姑娘　渾蛋打渾蛋

渾蛋打渾蛋！

孩子　渾蛋打渾蛋，

渾蛋打渾蛋！

大姑娘　會了嗎？

孩子　渾蛋打渾蛋，

渾蛋打渾蛋！

大姑娘　前兩句呢？

孩子　你說嘛！

大姑娘　天是一個大渾蛋，

地是一個小渾蛋，

孩子　天是一個大渾蛋，

地是一個小渾蛋，

渾蛋打渾蛋，

渾蛋打渾蛋。

母親　華伍媽的命呀！眞是渾蛋打渾蛋！

（母親連着大咳）

母親　唉！死了還好些；

姑娘　小乖乖家爸爸回來，許會弄得一點東西——

母親　唉！度命啊——

大姑娘　媽！心寬些！活得一會算一會！

（母又咳，這時全家黑暗，彭家在月光中顯現。媽媽抱小孩坐矮凳上，彭木匠生氣懊喪地走進來。）

木匠　唉？………………………

（媽媽驚悲的看着他）

孩子　（歡呼）爸爸！爸爸！——

（見父親生氣，差不多呆住要哭了）

木匠　呵呵！（抱起孩子來）

孩子　（轉喜歡）爸爸！饃饃！猪肉！——

木匠　饃饃？猪肉？呵——

孩子　媽媽說，爸爸回來就有饃饃猪肉！還有糖——爸爸！——

媽媽　怎麼辦呢？——

木匠　你說怎麼辦？——

孩子 爸爸！

木匠 呵——是，是，一會人家就送來——

孩子 那家送來？爸爸！

木匠 就送來呀！東門大街那家賣饃饃的——

孩子 肚子餓，爸爸，還不送來呢？

木匠 孩子乖，一會就送來，送來我地孩子吃，吃多多的，大碗——

媽媽 唉——

（靜默）

孩子 爸爸！還不來呢？

木匠 就來呀，你乖乖的等着！

（靜默）

孩子 爸爸！——

木匠 呵——

天上飛來一隻大公雞，
爸爸殺給乖乖吃，
乖乖吃雞頭，
那個不乖的孩子給他吃雞屎！
我家寶寶是乖的。很乖的！

啊，爸爸拔雞尾巴給寶寶踢鍵子——

孩子　爸爸，我乖——去看看送來——

木匠　一會就來的——

（放下孩子）

媽媽　海底撈月？綁長竹竿搆星星？哄得一會哄不得一夜呀！——

木匠　怎麼辦呢？看着死？等着死？聽說今晚夜裏又要殺出去，外面有農民，有——接應——

媽媽　聽慣了，多少回說殺出去也殺不出呵——

木匠　今晚再（餓——不肯說出來給孩子聽）再一夜要餓死幾千人。那裏還有草根樹皮呵——

媽媽　我有個最好的辦法——

木匠　甚麼？

媽媽　我要做起來，你得完全照着辦才好！

木匠　只要得活命，還有什麼說呢？

媽媽　乖乖胆子大，乖乖出去看人家饃饃送來了沒有。

（孩子出）

媽媽　你一定要照着辦我才說！

木匠　我不照着辦，你不可以罵我嗎？

媽媽　那時我不能罵了。我罵你也聽不見了！

木匠　甚麼？（頓悟）呵！你不要那麼想，我再出去看看——

媽媽　看甚麼呢？你依我！我愛我的孩子，我爲我的孩子，只是沒有你也不能活！我只怕你不肯做，——是我心甘情願的，你做了我很歡心——還要大大感謝你——

木匠　甚麼？殺你？吃你的肉嗎？天呀

媽媽　就是這樣做！就是這樣做！

木匠　唉！那末殺我！我先死吧！我也是眞心的，——你們吃我，我是鬼，我歡樂——

媽媽　那不成！那不成！我是早想好了，我拿起索子拿起刀來好幾回，但我爲的是孩子和你，你們不吃我，我不是白死嗎，那不成，你和我夫妻一場，你要照着我的話嗎，就是恩愛夫妻的熬角了！我死後——

木匠　咳！唉！——（極悲慣捶胸）

媽媽　你一定——（轉身，木匠將她抱着）呵

——是，是，我現在不——

木匠　要這小孩做甚麼呢？長大了又有什麼用處呢？我們這種人家！——

媽媽　你無天良！你瘋了？你——

木匠　我不瘋，我比誰都有天良！老實話，長大成人做甚麼？

媽媽　虎毒不吃兒呀！要殺他，你先殺我吧！你先殺我！——

木匠　都不殺怎麼辦呢？——

（孩子進）

孩子　爸爸！媽媽！還不來呢！死鬼頭！

木匠　……

媽媽　他再不來呀，你爸爸去打他！來在路上了吧——

木匠　（突然想開）呵！你！你別那樣做！怕你那樣做我只好守着你！大家同伙死！我再出去一轉，我已經想出一條路子來，一定能夠——

媽媽　甚麼呢，你才不要丟下我母子兩個！要完一道完！

木匠　我不那麼想了。我聽眞你的話，你聽

眞我的話——這是最末的一條生路！我走吧——

媽媽　你先說說嘛！

孩子　爸爸！

木匠　爸爸去叫他快快送來給寶寶吃——(向媽媽)你不要担心我，我才担心你呢！一定等着我！天有眼睛！(跑出)

媽媽　唉——呵！乖乖等着你爸爸！

孩子　呀！——

(左房影家黑下。右房頓亮)

(死寂一忽)

母親　唉！大姑娘！人家有爸爸的，爸爸去找最後一條生路了。你呢？啊！你聽淸彭嬸嬸的話了吧？我是早就願照她那樣辦！——

大姑娘　媽媽！我願先死了，你不要那麼說！——

母親　聽天由命？天快快倒下來吧！——

媽媽　李大媽，李姐姐！

母女　喔？

媽媽　等着他爸爸囘來再說吧！一樣命苦嘿，活受罪，罪受滿了一齊死！——

母親　願我們死後還住在一塊呵！

大姑娘　唉！彭嬸嬸，你多好心眼——（心緒變）

只要我們大家不餓飯，

我願去當娼，

我願出賣，

願做小丫頭，

願做十七八個後的姨太太！

唉只要我們大家不餓飯！——

母親　我坑害我的女兒了！——

大姑娘　媽！你沒有坑害我！

有錢人才會坑害兒女呢，

強盜們把我們坑害！

苦炸餓炸我們了！

將來的世界會有好處呢

要真真照革命軍發散的傳單呢——

這回要不死，

我也應該強起來！

弱女子也定能夠變強變勇敢——

我現在有刀有槍嗎，
我眞能够殺人不眨眼，
餓飯和死叫人殺人不眨眼！
…………………………………
…………………………………

（有人拍門‘在家嗎?’女答‘在家!’開門。走進個衣服還乾淨的五十八九的婦人。這邊有月亮照着，木匠家頓黑。）

大姑娘　媽，胡大嬸來啦。

母親　呵（要勉强起來招呼，但無力）請坐！——

牽馬婆　你請靠着！病了嗎？

母親　唳！

牽馬婆　餓的很久了吧？總得想法子活命才是！

母親　怎麼想呢？上天天無路，下地地無門！唳——

牽馬婆　（對女）孟宗哭竹，王祥臥冰，安安送米呵，姑娘！

大姑娘　誰家當鋪肯收留，我去當吧！

牽馬婆　我是好心眼，在平常我是不會來跟你們說的——

大姑娘　只稍大嬸有活命的方法——

牽馬婆　我能成全你們我就成全你們，那怕平素你們都看不起我。

大姑娘　不見棺材不吊淚，不見黃河不死心，甚麼都是假的，只要能吃飯——

牽馬婆　老嫂子！我們活不活都不大要緊，眼望着女兒餓死？

母親　沒法呵——

牽馬婆　我替你們想好活命的法子，就不知你肯不肯。

母親　請你快說吧！

牽馬婆　革命軍裏那個軍需長你聽說過嗎？很年輕，很漂亮，待人又忠厚——你明白我的來意了吧？這點點都是真的！

母親　你問我女兒吧！我一人倒願快快死了好！

大姑娘　只要我們不餓飯，

我願去當娼，

我願出賣，

願做小丫頭，

願做那家十七八個後的姨太太，

牽馬婆　別說的那麼利害，好姑娘！你眞有孝心！那是很好的，也是天數，革命軍的軍需長，又年輕，又漂亮，在平常也不容易跟着這麼一個大人物呢！

母親　甚麼時候過門呢？

牽馬婆　啊！兵荒馬亂，這城裏餓死的人一天多一天，不比平常。軍需長想親自看你家姑娘——馬上，可以馬上——

母親　那麼你請他就來看吧！

牽馬婆　請姑娘現在就同我一路去好嗎？

母親　那

牽馬婆　成不成就在今晚呢！明天我可不敢担保——

母親　——

大姑娘　媽！我就立刻同去吧！反正甚麼都不要緊！

母親　話是那麼說，臉皮眞有城磚厚？

牽馬婆　要快些！太夜了就不好走路！

大姑娘　媽！你放心！我就去就來！

牽馬婆　我還要沾你們娘倆的光呵。姑娘你將來不會忘記我吧?哈哈……走!你放心吧,老嫂子!不得你親口答應,我就不敢多管閒事了,

母親　那末去吧!成不成快給我個消息!

牽馬婆（掏出一個餅）你娘倆先吃吃這個餅吧!（打開一個小包袱）換上這一套衣裳!用手巾揩揩臉,理理頭髮!

大姑娘　媽!你吃吧!

母親　你吃——

牽馬婆　老嫂子你吃大半。她到官家何愁吃。

（女勉強吞下了一點。母拿着不能吃。）

牽馬婆　快!

（女草草的揩臉,理髮,換衣。）

牽馬婆　多美呵!一見就中意!躲也躲不脫,去吃上幾天,臉長肥些,再有油水,可眞了不得,要迷死人——姑娘!你眞不要忘記我呢!

大姑娘　——

母親　——

牽馬婆　天上無雷不下雨,地下無媒不成

親，水有源頭樹有根的呀！

大姑娘　請你吃過十大碗，

還送你對金手鐲，金戒指，金耳環，金鑲的玉釵；

我的男人要有了江山，我叫他分你一半。

願者魚兒上鈎呵，

我是魚，怎麼我會忘記你！

牽馬婆　多會說會唱呀！小鸚鵡！

（女收拾完畢，月光下看到自己的影子）

大姑娘　娘呀！你看我像不像一個新娘？

母親　新郎呢？唉——

大姑娘　（現出舞姿）

媽！地上這位就是我新郎，

他從小就和兒一道生長，

兒今才得看見他，

以往，以往沒有燈光，沒有月亮，也沒有太陽。

媽！你看他多美，多壯，兒的新郎！

牽馬婆　快走吧！

大姑娘　說走就走嗎？

你沒帶來金鞍馬，

也沒帶來花花轎。

牽馬婆　走呵！姑娘！甚麼年頭！

大姑娘　是天下太平的年頭！

啊大嬸嬸，我那新郎必定會喝酒？

牽馬婆　誰不會喝酒

大姑娘　那我告訴他，勞你多等候了，

我給他灌醉，灌醉了，

你不更多得報酬？

母親　要走就走吧！大嬸嬸！勞你好心眼照顧！

牽馬婆　你各自放心！走吧！姑娘！

大姑娘（舞）

媽！你看我穿新衣上戲台，

我演木蘭從軍又演昭君去和番，

媽！我不佩寶劍也像木蘭？

媽！我出雁門關，

不要琵琶馬上彈。

媽！你該爲女兒歡喜！

兒用兒的白玉手，呵，

兒今去和命運決戰；

兒不要命運的頭顱。

只從那命運手裏搶飯碗，
媽！你看我天女下凡，——
我手提花籃，
專把鮮花兒向人間散；
花兒將人間散滿，
媽！我派鳳凰拖着金輦來，
媽！你坐金輦上，
金輦上，有用不盡的錢糧，
與兒一般美的無數的衣裳，
媽！兒散花，你散錢糧散衣裳；
媽！你想，只要你一想，
你想'怎樣'，你只稍吩咐鳳凰，
立刻'怎樣就'怎樣'；
你不吩咐她也行，
媽，鳳凰原是兒的兩翅膀。——
媽！兒也是海島上那個女王——
我的情郎呀，你還不歸來，
你忘記了你的仙姑等在海島上？
海裏有海盜，
海盜多頑皮；

我爲海盜搶，

那時候，你叫你的百姓們——

魚呀，蝦呀，禽獸草木呀，

趕着去爲我打仗？

海盜願戰死，

任怎樣，也不再交還你島上的女王，

你快歸來，你快歸來呵！

她叫狂了年年的風波，

你最愛聽的歌喉也快要叫破！

你還不歸來，

你貪玩，你在那裏玩？

你遇狐狸精？

妖魔鬼怪！

她們强着吸乾你骨髓，

好增加道德去成仙成神。

你，你靈精快吸盡吸乾！

唉！愛情不是買賣，

只要我的情郎呵你歸來，

那怕你骨瘦如柴，兩眼白翻翻，

我愛！我愛！女王等你等瘋了！

我愛啊——我愛！

（大家迷惑在一種幻境裏。一會靜默。）

大姑娘 媽！你看我表演的好不好？

像不像在戲台上？

母親 啊——喨——

大姑娘 媽！你留我三更，

我要到四更；

你留我五更，

我要戀情到天明。

媽，你留我，我不走；

媽，你別留我我就走——

留也走不留也走啊，媽！

我的情郎哥啊等夠夠的了，

等夠夠的了，媽，我就走，

一兩點鐘後，媽，

我的情郎和我來，媽，

你願和我們喝三杯喜酒？——

（女奇異的大笑了）

母親 你眞有點喜歡嗎？媽願你眞的喜歡！

大姑娘 會郎三更下，

誰個不喜歡！

（隔壁小孩叫）

小孩　姐姐！姐姐！

大姑娘　喔；喔！

小孩　我媽說你要做新姑娘！

大姑娘　是呀！明天我請你做客！你不唱新姑娘的歌送送我嗎？

孩子　好！姐姐！我唱你請我做客——

新姑娘，

喝米湯，

米湯漏，

滿街臭。

（泰馬婆笑了）

新姑娘，

玲玲瑯，

玲玲瑯，

玲瑯響，

滿街香。

大姑娘　好！明天一定要請你做客！——走吧！大嬸嬸！媽！你安心在家等着我！你應該爲女兒喜

歡的！

母親　你喜歡我才喜歡呵！

大姑娘　走吧！大嬸嬸，

（同出）

會郎三更半，

誰個不喜歡！

媽呀你先睡，

兒要四更才回來；

郎要緊緊纏，

那末媽喲四更半！

（這屋也黑。靜寂一小窗，木匠家仍被月光照着，但月光已經西斜了。）

木匠　悄悄走進屋，搖手示意，叫他妻不要說話。又向妻耳語：「哄着孩子，不要給他看清我們拿着甚麼來！」這時，孩子已經看見他爸爸來了。）

孩子　爸爸！爸爸！——

（木匠不應走出。）

媽媽　爸爸買得東西來了！你要閉着眼睛睡一會才給你吃！

孩子　我不！（孩子要起）

媽媽　呵！有一個怪害怕的人跟着爸爸來！是個怪物！媽媽的好孩子，趕快閉着眼睛，媽媽也閉，一會就得吃！

（木匠扛着個死人進來。他後面跟着叫化頭。）

木匠　冷好呢——肉還沒有臭！

叫化頭　昨天我親自幹的，那會錯。

（兩人將死人身上的衣服脫了。木匠取出刀斧來。）

木匠　餓的很！鍋不大。先砍下兩隻腿和手膀吧？

叫化頭　只要夠今晚再說。

（木匠砍死人的腿和膀。）

叫化頭　我來燒火。火呢？柴呢？

木匠　呵？——你且慢（用手勢說明：砍吧，先將死人的胸腹藏起來，不要給孩子看見。）

叫化頭　（點頭）

（木匠砍好，將手脚以外的拿進裏面小屋後再出。）

木匠　（問妻）還有火草嗎？

媽媽　沒有了！柴也——

孩子　爸爸！

木匠　（帶恐赫）好好閉着眼睛一會就得吃！

媽媽　問隔壁嬸嬸有沒有。

木匠　大嬸嬸！我弄得吃的來了！我們煮好同伙吃。還有火草嗎？

母親　火草有。你來拿！

木匠　呵！沒有柴呢！大嬸！我把兩家隔着的這堵板壁撤下燒，你樂意嗎？

母親　樂意！樂意！

木匠　橫豎出在我手裏！

（木匠用斧子幾劈便劈開了。）

木匠　打通我們是一家。

母親　這裏！火柴！

木匠　大姑娘呢？

母親　唉！說不完！

木匠　甚麼？

叫化頭　拿火柴給我！（接火柴，拾碎壁，升火。）

母親　我們平常說的那個牽馬婆來領去了！

木匠　甚麼！？

母親　說是領到革命軍的軍需長那裏——怎樣落脚，待會你便得知道。

木匠　啊，那總會來救救你的命吧！

母親　唉——

木匠　好，我們弄着吃再說。

叫化頭　把火弄大大的，燒的燒，煮的煮，你說好不好？

木匠　好呵！我想生吃呢！

（一會火升起。燒的燒，煮的煮）

木匠　讓孩子起來吧，好久沒有吃肉了！起來，吃肉呵！小乖乖！

孩子　媽！我害怕！

媽媽　這會不怕了，那怪物走了！

孩子　睜眼，見叫化頭　媽！（大叫）我害怕！他還在！

媽媽　他走了！你起來看！這個是鄭大叔呢。

叫化頭　是我呵！好孩子！怕甚麽？那個怪物我把他打死了！打死了，他一半變成狗，一半變成猪。來看，我燒猪給你吃呀！

孩子　媽！怪物我不吃！

叫化頭　哄你哄你呀。你在那裏見過怪物

死了會一半變成猪，一半變成狗？我哄你！怪物早打跑，跑得多遠多遠了！

木匠　起來！怪物跑遠了。

孩子畏縮地過來

叫化頭　可惜沒有酶料！

木匠　你倒愈想愈開心！

叫化頭　嘗聽人說，多吃這東西，眼睛怪發紅，你看我眼睛紅不紅呀？

木匠　紅像猴子的屁股了。

叫化頭　笑話！我吃去吃來，比甚麼都好。猪吃屎，狗吃屎，這種東西不吃屎！

木匠　看着吧，餓到不開交！

叫化頭　那末屎的味道也必定由我先嘗了，哈哈，你今晚才嚐這美味，我是拉出來的屎早帶上這種美味了。

木匠　你捨不得這種口味，拉出來又吃進去不更好？要是平時呀——

叫化頭　話說那裏，尼姑唸經，肚子裏別着一節銅錢——

木匠　別說這些話了，說了她們吃不下。

叫化頭　那有的話。二十個死人把我圍住，十個是害花柳病死的，十個不知怎死的，只要我累了，甚麼吃不下！

木匠　啊！不要燒太胡！熟了吧？大嬸嬸，過來烤着火吃吧！不能過來我就送給你？

母親　我過來也好。（過來）

孩子　我先吃爸爸！

木匠　你要吃爸爸？吃爸爸的肉？

媽媽　這麼說，我先吃！爸爸！

叫化頭　就說吃爸爸也不要緊諾！

（先遞塊給母親，母親咬了一口——）

母親　再燒燒吧！餓不死，吃死呢！

木匠　好！選着小塊的先吃吧。

叫化頭　你我肚子銅腸鐵壁那怕他！

（大家圍着吃）

母親　是甚麼肉呵？味道很不同！

媽媽　餓太久，口味也會變呢。

木匠　說牠是狗肉也好，猪肉也好，人肉也好，只要吃得飽，能救命，

母親　天呵！眞眞到吃人肉這地步了！

木匠　這不是人，是一隻死狗。

母親　你怕我不忍心吃，怕我惡心嗎？實在我早已想到。我願先一刻死了好把肉給姑娘吃？就怕她不吃。早死一刻總還多有四兩肉！　從那裏弄來的？

木匠　到今晚，殺我，殺他媽媽，殺他，都不行，我猛想起這一條生路；我要一直去，又怕弄來一些太膩太臭的，我就先找好這位老兄弟。發喪安葬總得經過他的手，他是內行！——

叫化頭　我到今晚不比往常瘦，不這麼幹怎過活？別人的死路就是我的生路呀。可惜今晚沒有酒，有些燒酒更快活！—— 再劈幾塊來燒吧！

木匠　好！一不做，二不休。

（又劈。添火。大嚼。）

媽媽　（對叫化頭）你怎麼還是快活！？

叫化頭　怎麼不快活？有吃就快活。天掉下來有王强子抵擋。鬧得怎樣凶，我不曾打失一粒米。我無憂無慮。

媽媽　你連說話也像你打蓮花落似的？

叫化頭　我吃飽我還給你們唱呢。那些年

我還沒做叫化頭，惹得人家的歡心和惹得人家討懨，總一樣得錢得飯。追着一些太太小姐們討錢，'唉呀！太太小姐呀！可憐我窮小子三天沒吃一點東西下肚呀！給我買個窩窩，你修陰功做好事呀！……'緊追緊追。一會比一會叫的可憐，她們討厭，她們恨，纔得給文錢。她們多香，我多臭，得了錢，管他，我笑我的。——

媽媽　現在你架子大，你陞官了——

叫化頭　可不是嗎。那裏有小偷都不能瞞我。三丁抽一，五丁抽二，過關過卡，我做我的小皇帝。——

木匠　眞是叫化子把鵪鶉，

叫化頭　苦中作樂嘛！

（拾起兩根人骨頭，打着節拍，故意做種種姿勢唱——）

咽——呵，

大人家呵大紅樓，

三百六十天天喝喜酒，

彩緞花綢穿不盡，

咽——呵

金珠瑪瑙遍地丟，

奴僕老媽不在數，

廚子車夫當差樣樣有。

嗰——呵，

大人家呵你何愁！

東方請來張公子，

西方請來王侯，

美女百人也來到，

一個比個賽嬌，賽妙，賽風流；

嗰——呵，

嬌呵嬌，金梭眼兒個個撩！

你會嬌？她比你更嬌；

你會撩？

嗰——呵，

你將粉紅絲帕露牙咬？

她玉手兒托腮連連伸懶腰！

你會釣？

嗰——呵，

你還在跟狐狸學，

誰不知道她二等的門徒是三妖，

封神榜上三妖多有名，

她幾笑，鐵桶江山也笑倒！

咽——呵

鐵桶江山都笑倒。

咽——呵

一個要比個個撩，

一個要比個個俏咽呵！

（稍停）

主人請說客全到，

你邀我，我邀你，

請上坐，請上坐，

別客氣，別謙虛。——

貴客多有禮，講了多少禮後才開席。

金瓶倒出香香酒，

主人第一先敬五王侯；

一個姣滴滴的美女她說'不會酒！不會酒！'

主人回說'今夜還演貴妃醉酒呢！'

'好！謝謝你，就喝兩杯潤潤喉！'

張公子，多美一個小白臉，

小白臉，像在燈光下看一塊大洋錢，

大洋錢，多可愛，

千人看來萬人愛！

咽——呵，

花和尚他不該上五台，

吃齋又開齋，

梅蘭芳唱小旦，

乾隆皇帝便衣下江南，

皇帝沒酒錢，解下白玉帶

好漢沒酒錢，抽出朴刀來——

還不償我錢，騙賴就騙賴，

說我瞎拉扯？我背過前朝後代呀。

咽——呵

金杯交來銀杯換，

吃吧了酒後唱洋歌，

跳跳玩玩又打牌，

咽——呵，

骨頭請別丟把狗，

咽呵——賞我一兩碗殘湯剩飯！

老爺！太太！小姐，少爺，少奶奶！

賞把我花子一碗殘湯剩飯，殘湯剩飯！

咽——呵賞我，

咽——呵賞我賞了我，

明年，你家高樓更往寬處高處蓋，

　明年你家官上又加官，

　你家生意興隆通四河，

　你家財源茂盛好招牌，

　你家多子多孫多富貴，

　你家兒子都出洋國回來做大官！

咽——呵。

　我永遠也忘不了你家恩典呵！

　　（稍停）

唉！你不給來我不走，

　強若老鴉守死狗，

（大家在聽，在看，在吃，在笑，有時並和着打拍子。）

　　木匠　夠了！夠了！人家誰給你？

　　叫花頭　（唸）

伸手一塲，

殺猪宰羊，

若還不給，

短命兒郎！

　　媽媽　你才惡得好呢！

叫化頭　不惡?不惡會得吃呀?革命軍官還到我府上來,時運好,我能得個官兒做呢——

(一個班長,三個兵進屋)

班長　(開玩笑地唱着進來)

中國人,肚子疼疼,

嗡喝一嘿喝,

嗡喝一嘿喝,

中國人肚子疼疼—

(室內婦人驚。男子笑。)

班長　你們好快樂!還吃肉呢!

木匠　不嫌氣嗎同伙吃吧!

班長　豈敢豈敢,軍人搶飯碗。

叫化頭　鍋裏的也熟了。

兵一　正餓得不好開交呢!

兵二　簡直莫名其'沙',那裏來的肉?

兵三　見者有分就是了。

(大家打開沙鍋)

班長　適才是那位老哥唱?唱呀!得樂且樂,得過且過,耗子鑽牛角——

叫化頭　討死。

木匠　沒有出路。

班長　山窮水盡——

兵一　無計奈何，

叫化頭　勒馬望荆州——

班長　快要完了？

兵二　啃穿西瓜皮，吃通沙鍋底，

班長　三小子誤撞皇娘——對不起的很，

叫化頭　城牆高萬丈，裏外要人帮，

兵二　好說好說，龍燈腦殼。

兵一　喂！這是一隻人脚！

叫化頭　唉！你通天教主的徒子徒孫，大驚小怪！

兵一　眞是人的脚掌呀！

班長　(玩笑威嚇)誰！誰殺人？要抵命！

木匠　要抵？你們各人有一千個頭也抵不過來呀。

母親　眞是山窮水盡無計奈何呢！

班長　不說不笑，不成世道！

媽媽　草根樹皮都吃盡了。甚麼時候才開城？

班長　早有人去運動農民軍起來內外夾攻 今天說夜裏來，夜過又說明天來，天知道！從前好像鯉魚跳龍門，現在

叫化頭　現在鯉魚請進油鍋了。

班長　大家死在一塊吧

叫化頭　煮熟的雞還要飛呢！怕甚麼！

（母親驚疑慮的回頭看

兵一　你真快樂！

叫化頭　全城人死完，我由我的腦袋一下平剖做兩半，我叫左半吃右半，右半吃左半。

兵們　唱起來，打起來，

叫化頭　雲南邊界上有個廣南縣；

穀子開花五月間，

六月初頭過小年，

要叫田地肥，六月間，

最好殺得人來燒成灰，灰灑田

因此年年六月初，

人人爭來打鍾坡打鍾，

拿的拿刀槍，提鉤鐮，

石頭武器齊全有，

人來夠，顯身手，

得勝歡，死的不怨天，

死了好燒灰潑田，——

田吃人，人吃田，

田地開花結果在人間，

小年本是忙碌節，

爲求神喜歡，人間許過打鍾愿 ——

班長　打倒宗法思想！

（大家笑了

叫化頭　田吃人，人吃田，

田還是田，人還是人；

狐狸吃人變成精；

人吃人變神；

自己吃自己，

揹鑼鍋譁賊！

（大家笑）

兵二　那裏還有呢，我們去弄些來請你們——

兵一　有的。我知道。

木匠　啊！明晚——

兵二　城再不開，我們每晚弄一個來拼東好不好？

木匠　好——

叫化頭　好倒說不出口來呀！

兵一　唉！他媽的——

（牽馬婆進李家屋。喊。大家靜默了。）

牽馬婆　老嫂子！老嫂子！

母親　哦！（轉向牽馬婆走來）

牽馬婆　（小聲）軍需長多客氣呀，他叫我先來說一聲，隨後他就和你姑娘一道來。

母親　謝謝你！你坐一坐？

牽馬婆　我就走。（轉身）

母親　姑娘有好處總忘不了你呵！

牽馬婆　（又轉身）望你在軍需長面前多多給我說幾句好話！都不是無可奈何嗎！我的孩子還在家裏餓着肚子等我呢！我沒有得到甚麼！

母親　他來我一定說的。

（牽馬婆走）

木匠　甚麼事呀大嬸嬸？

母親　唉——

媽媽　胡媽來叫大姑娘去了。

木匠　只忙吃，昏了！連大姑娘——

母親　胡媽才從軍需長那裏來——

兵一　軍需長？我們的軍需長？

母親　就是吧？我也不知道。胡媽說，一會軍需長就和大姑娘來的。

班長　你家大姑娘嫁給他？

母親　胡媽是這麼說。可不知道——？

班長　軍需長他給了你家甚麼？

母親　一樣也還沒有給。

班長　——唉——

兵一　他媽！他騙民家的女兒？

兵二　他多闊呀！老子們都快餓死完了！他暗地裏嫖姑娘！

兵一　他當軍需長，他錢從那裏來？他不是剋扣弟兄的軍餉，就是多算我們的口糧！

兵二　他媽！他一定多多報鬼賬！

班長　據我平素看他決不是這樣一個壞人。這回　？

兵一　知人知面不知心！

兵二 滿臉天官賜福，一肚子男盜女娼呵！

兵三 到他家把他殺了再說話！

班長 這不比敵人，總要證據確鑿，由軍法處去宣佈罪名才能殺的。

兵二 我可忍不了！你們忍得了？這種狗子殺了大家弟兄都痛快！

叫他頭 好漢子說話，一是一，二是二的呀！

兵二 走！我們走！班長！殺錯了，我抵命！

母親 唉！軍士們—— 我請求你們！

班長 你請說！

母親 沒有法子，眼睜睜看着我母女兩條命——在閻王手裏——只要我姑娘活得下去呀，你們去殺他，那是一刀砍死三個人的性命了！怕還不止呢！

兵二 我們一定安安全全送回你家姑娘來，若有風吹草動，我甘抵命！

母親 回來吃甚麼呢，明天，後天？

兵一 把他的金錢糧食分一點給你！

兵二 他媽，殺來大家吃！

母親　啊！剛才來的那個胡媽說，軍需官和我的大姑娘就要來看我，請求你們不要在這裏動手！

班長　你們聽我說：念在這位媽媽的情面，我們且慢動手！他不是說要來嗎？

母親　是的。

班長　我悄悄在門外做步哨，一見我進屋，你們馬上躲進後面那格小屋去，我也躲去。聽他來幹些甚麼。要是應該殺，我們馬上就出來。聽好了沒有？

兵們　聽好了！

班長　不必太燥火。要他雁過落毛，是雀難飛——

（班長出

母親　你們倒是好心眼——

叫化頭　好心眼當不了飯吃。

木匠　城外，好像有槍響呢，

兵一　槍響？——沒有的事。

兵二　槍響就好了，農民軍起來，我們才好殺出去。殺不死，餓死！

叫化頭　從前你們常常說，‘城外死狗們不值一衛’。現在可是揹老婆看戲，又臊又累了！

兵二　你糊豆放糊屁，你去衝衝看。

叫化頭　給我一隻槍看看！

兵一　給你槍，最多你會去做小毛賊，

叫化頭　你們說這些好吃不好吃呢？

兵一　未必你是請來的貴客？

叫化頭　我還是半個主人呢。

兵三　少說話，注意班長！

沈默。月亮偏西了。叫化頭拾破壁碎板添着燒。孩子渴睡在媽媽腿邊。不時有母親的一聲嘆息。隨着是兵們撮口哨歌。——）

叫化頭　（不大聲地唱。學——女腔）　噯喲喲！

好的一枝花，

插在狗屎上，

噯喲喲——

你臉黑似破鐵鍋，

你衣裳補疤疊打疊，

你在冬天打赤脚，

你頭髮餅餅亂雞窩：

噯喲喲，小情哥，

好的一枝花，

插在狗屎上！

（除母親，大家都小聲發笑着）

男腔）好花都從土中來，

狗屎先前是飯菜；

暧喲喲，小情妹，

玉皇家的二姑娘，

龍王家的三公主，

她們那像你嫌貧愛富！

我把臉兒洗一洗，

頭髮梳一梳，

我手提哭喪棒，

再穿上洋服，

暧喲喲！——

三分人才，

七分打扮，

我打扮起來，

那時你要想跟我，

我叫你再去投胎，

你再去投胎！

女腔）要收拾打扮？

我收拾打扮起來呀 一 唉！

比玉皇家的二姑娘，

龍王家的三公主，

逗人愛呀我更逗人愛；

那時你要來求我，

嗳喲喲——

一口吐沫把你噴下東洋海！

男腔）那末走呀窮人的老婆！

女腔）那末走呀！苦命的丈夫，

男腔）那末走呀走呀！我的情妹妹！

女腔）那末走呀走呀！我的情哥哥！

（唱到尾句他走出門去）

木匠　你要走嗎？

兵們　唱着玩呀！別走！

叫化頭　（作女腔女聲）

我的小情哥，

他們死死地留我，

男腔）

他們留給他們留，

你我要走各自走！

（回頭一望）

作女腔）

我的小情哥，他們不容我——

男腔）

也吧，我走了，請坐！請坐！

（已出門，聲漸遠。）

走呀快走呀！

我給你一個奇怪的歡樂——

我發了一筆大混財，

我在請人給你和我做口金棺材。

兵一　碎！這個東西！

（大家一笑後，靜默）

母親　憔死人！還不見來呀！

兵一　又受欺騙了吧？

兵二　遲早要他死！

（靜默）

母親　在火邊還有點發冷呢！

木匠　我再弄幾塊下來。明後天我往聖廟去想法。

（又劈下幾小塊板壁添火）

——換　場——

蓮花池。只餘淺水，此外便一葉葉浮萍都早吃光了，湖週楊柳也早砍光了。開幕一會，大姑娘和軍需長自右堤走來。姑娘忽站着不走。

軍需長　快去吧！姑娘！你母親是怎樣地悲傷！

大姑娘　你假仁假義的，
分明是一湖死水，
你偏指是你的同情淚！
分湖湖乾露見底，
你要强說湖中多鯉魚！

軍需長　走吧！就說我沒有同情，也有紀律！

大姑娘　分明你騙我，
要扯那個牽馬婆；
騙不是罪惡，
只稍救得我媽媽——
月亮，你是吃得的燒餅嗎？
只稍救得我媽媽，
誰騙我，都不是罪惡！

軍需長　唉呀！我何常託過牽馬婆！

這事情叫同伴們風聞，唉——

我能原諒人無可奈何，

請問我有錯，誰肯原諒我？

大姑娘　那末請你回去吧！

軍需長　你呢？

大姑娘　我獨自回家。

軍需長　你不害怕？

大姑娘　甚麼叫害怕，

不是三歲小娃娃；

‘死’賣弄聰明，

‘死’不敢吃我心；

把那猛虎當做貓兒耍，

‘害怕’呀——‘死’的徒子徒孫，

‘死’和我這般親近，

‘害怕’該來求拜我的門。

你去你的呀，

我不感謝那使不得，吃不成的良心！

軍需長　唉！我總不放心！

大姑娘　你在你心上，雕刻着——

'我有良心',
把你心招告世人;
你去你的呵,
世人不信,
有我爲證。

(他躊躇。暫沈默。)

軍需長 唉!有一天不要打仗,
這樣的風清月爽,
我遇見一位這樣的姑娘——
我的影兒呀,你與我成雙!

無餉更無糧,
革——唉!甚麼?
夢一樣,
自然而勉强!

殺妻子?
妻子在那裏?
殺我?
呵呵!這原來是革命呵!

（冷酷的獰笑）

綏遠餓死多少人，
豫陝廿天天乞賑，
我經過多少衝鋒，
從來沒這般感動！

立江岸，要渡江，
我當是樑橋；
我不是樑橋，
好心等於幻像！

姑娘！那末你獨自回去吧，
　　大姑娘　我心感激你，
我送你回去；
回去我再來，
我要消滅這‘感激’！
　　軍需長　你越說越過火，
呵，可羞死的男兒！
　請你快走吧，

你的媽媽！

請你媽媽別見怪！

明早許能弄點吃的來——

大姑娘　你不先走我是死也不走的！

軍需長　我也一樣回答你——

'你不先走我是死也不走的，'

大姑娘　這樣我將恨死你！

軍需長　這樣我將——唉！……

大姑娘　甚麼？

軍需長　好！我先走！

（走兩步又回頭。遲遲的。）

大姑娘　請你快走呀！

軍需長　一杯酒；

永沈醉；

一個掌心雷，

我歸我歸！

大姑娘　快走呀，我不願意見你的影子！

軍需長　我的影兒呀，

我恨你與我成雙；

誰是凶手呢！

世界，人間，軍隊，

牛屎虫，懦怯的豪勇！

　　大姑娘　快走呀！我還能夠看見你！

　　軍需長　我心更燃燒，

不是衣，不是衣食住，

是一種古怪的需要，

好好牛兒不吃青青草！

我逆水行舟，

朝山背着聖地走；

我前行，後吸引，

　轉舵夫，

　一點鐘行八千里！

　　大姑娘　你快走呀！我差不多看不見你了！

　　軍需長　不屈服於舊世界，

你得做生活的奴才——

一個飯碗兩分開！

有吃飯以上的東西嗎？

有。
人不是禽獸！

有吃飯以下的東西嗎？
有。
人是禽獸！

你為那禽獸欺侮，
我能去打救，去報仇。
同為這飯碗欺侮，
都沒有出路！

我想斷絕我今生，
給你帶回夠吃三五頓，
只怕你不肯，
我也不願白犧牲。
姑娘，你要肯你要肯呀，
我是快活的亡魂！

大姑娘 得了吧！得了吧！
我媽媽也不肯要我犧牲，

何况你一個有用的軍人！

好先生，我們這般死無恨，
軍民一樣貧，你有良心，
啊！那怕良心吃不成！

我也是快活的亡魂呵，
求米麵不得，
我得了一個超於米麵的青年人的良心！

你趕快走吧！
我要囘家，
你是軍人有軍法。
　　軍需長　走吧—— 唉！走呀！
走向那兒去？
走向仙宮盜靈芝，
盜得靈芝囘，
靈芝也心碎。
白鶴啥着青春來，
　　都付與流水！

姑娘呵！你還能見我？

大姑娘　不能見，還能聽你歌。

啊！你快走，別再歌，

白馬騰雲去，

不要在那雲裏露馬脚！

軍需長　呵！我不再歌了！

我不再歌了！

一切都平靜，

平靜，平靜，

平靜到不再有人類的一點聲音！

（寂靜）

（姑娘絕望地凝視天，凝視地）

（不能哭）

（突把雙手抱着臉，一會又分開）

（寂靜）

大姑娘　完了！完了！

甚麼都完了！

天無路，

地無門，

明早蓮花池，
一個死尸！

唉！你堂堂奇男子，
　不欺騙人家的女兒，
天呵！是奇遇
　偏不逢時！

完了！完了！
甚麼也完了！
你是那家的女兒？(問月)
不吃飯，不穿衣，
常青春不老，
從小小，就見你人間普照！
啊呵——池水少？
楊柳都巳當柴燒；
你桫羅樹呀，
　不容我上吊！
　完了！完了！
　我的媽媽呀！

完了!甚麼也完了!

（靜寂）

這饅頭,

那是肉,

那是一湖碧玉酒!

明恍恍的天裳,

我扮做新娘!

笑蜜蜜的呀,

你蓬蓬蓮花,

你楊柳,草青青,

呵!這末個洞房!

不枉我來在世上!

爲我歡宴來賓呀,多灌他們酒,——

你愛我的月亮!

我的媽!你歡樂,你光榮!

我的愛呀情深重!

他將擁我於他懷抱中!

我的媽,來賓全是天驕子,

都羡慕,都讚頌,

我洞房是夢想不到的天宮;

滿足了!滿足了!

一切滿足了——

我媽媽!你太笑多了你不能說話?

呵呵!我的情郎你來看!

媽媽一臉的笑容,

媽媽已經永遠活在歡樂中!

別亂動,客散了,

我們和唱一曲去睡吧,

媽媽正好夢,由她好夢!

你好夢的媽媽呀——

女兒已經有情人!

媽媽你請安心!

山有窮,水有盡,

山窮水盡那忘媽媽愛兒心!

媽媽!前代本是後代橋,

有青春,自然衰老,

媽媽!兒女們的愛情,那招魂童子——

招童魂子常年少,

招了前代又往後代招!

你放放心心地去也！

他會好好服侍你；

別怕兒女無本領，

兒女們要好好做人！

媽媽！永生的園門開了——

那是不能常常開着的——

歌男舞女在歡迎，

　你請！你請！媽你請！

兒女們必定——

好好地做人！

…………………………

（靜寂）

（突然驚覺，似夢歸來。）

（走下淺水邊）

媽媽呀——

池水乳錚錚，

天上地下兩月明，

沒絲兒風聲。

靜悄悄，靜悄悄！

天飄渺，地飄渺，兒心飄渺！
好像兒本非媽媽所生，
神只創造天地和兒一個人！
呵！神也未將兒創造，
　也未將一切創造，
　一切只飄渺，飄渺，飄渺呵！
　不信兒到水中把月撈 ——
　月在天空冷笑？
　天又眞有月亮嗎？
　有月亮爲甚天高！
　天高就因明月也飄渺 ——
媽媽！兒從'無'裏生，
　兒往'無'裏去；
　零還是零，
　一還是一；
　就從'有'裏生，
　又往'有'裏去；
媽媽呀，這有多少區別呢？
　不過多一套把戲！
　零還是零呵，

一還是一！——

呵喲！生到死，

飄渺到空虛，

媽媽到兒女，

兒女兒女往下去，

最後最後那是甚麼呀？

最後最後還不是媽媽兒女？

零還是零呵，

一還是一，

最光榮，最親密的歷史也一筆勾去！

媽媽！不如兒現在便一筆勾去！

呵呵！（束勢跳）

一筆勾去！（跳入水中）

（緊接着一種急迫悲狂而失魂的喊聲，軍需長挾着一個大布包飛跑下來。）

軍需長　呵呵！有辦法了！有辦法了！有辦法了！不要尋短見呀！不要尋短見呀！不要呀！不要呀——

（跑到姑娘跳水處）

唉呀呀——

（扔下布包，跳入水中，水深不過膝，抱起姑娘。）

有辦法了！有辦法了！我已經拿得許多吃的來！

（抱出）

唉呀呀！我才是該死的呵！我的罪過！我的——

（抱着姑娘空水一會）

你看我是誰呀？

大姑娘　你是——

軍需長　我是誰？——

大姑娘　你是要我再死一回的！

軍需長　唉！你多冷！我也顧不得這些那些了！

（放着姑娘，脫下自己的衣服爲她換）

我弄得東西來吃了！我們趕快回家去！（拾起布包，背着姑娘疾走。）

得生存時且生存，

唉呀呀——

沒法子中找法子！

沒法子中找法子！

……………………

（換上前景。小孩已熟睡，火快滅，月更西沈）

母親　天呀!天沒有眼睛!

絕路要逢生?——

我只有去拼死命!

兵一　別太着急!他有飛天本領也要他死的!你家姑娘總得平平安安送給你!

兵二　還等甚麼呢;奇怪:一直走去殺了他來大家吃吃就完事!

(班長快步入)

班長　遠遠,彷彿聽得個姑娘的聲音,一定是來了!

(兵們驟進去。母親要起來。)

木匠　已經來了。坐着吧!(母依話。)

(外面的聲音——

大姑娘　那裏就是我的家。

軍需長　哦!

大姑娘　放下來我自己走吧!

軍需長　不必不必!請你原諒我!

大姑娘　唉!跳水不死也要羞死呵!

軍需長　那個是那個的寃家對頭,

最好離開別人去曠野決鬥。

我們更慚愧,
好在眞眞是爲大家幹,
不然貧民爲甚麼吃虧?

我是軍需長,
我曾吞過一文錢,
我曾私下藏過一點糧? ——
那就是你家了吧?
　　大姑娘　就是。
　　軍需長　得生存時且生存,
沒法子我中法子,
今晚有吃且飽吃,
果有明日,明日再好打主意!
（母親站起來）
　　母親　啊!從這邊進來!
（兩人進）
　　大姑娘　媽 ——
　　軍需長　噫!你們那來的東西吃?
　　母親　呵! 怎麼要人背你呀? 穿這衣裳?

——褲子?!

（放下）

大姑娘　媽媽，兒不死——

逆花池；

兒失脚，

幸得這位先生打救我！

母親　啊！多謝你先生！

媽媽　趕快添起一把火！

木匠　咲！——

（提斧，砍壁板，添火）

母親　快去換衣裳來烤火！天呀！那背時的軍官！

姑娘　媽媽！你駡那軍官？

母親　我見他，要吃他的肉我才心甘！

大姑娘　媽媽！他才不是那一種壞蛋——

母親　趕快換衣裳去吧！

大姑娘　媽媽，你想見見那軍官？

兒不請他他也就會來：

遠在天邊，

近在面前；

人心隔肚皮，（走過那房去）

蒸籠隔燒基，

媽！你草帽底下不識人才哥，

老眼昏花呵！

母親　呵！呵！先生！請坐！

軍需長　（點頭）

母親　請問你家在那兒，先生？

軍需長　我家原在崑崙山頂下，

一次洪水起，我家全倒塌！

我東飄西泊，

我無家，家在天下。

母親　父母呢？

軍需長　父親早死了。

母親死未死，

不得知！

浪子不回頭——

母親　啊！浪子不回頭，母親淚雙流！

軍需長　唉！做得母親的兒子，

就難做人類的兒子，

做得人類的兒子，

就難做母親的兒子；

人類的母親，人類的兒子呵！

人間再割據，

世界不統一，

完了！完了！

我們死，我們都自死！

母親　眞好的先生！你有妻？

軍需長　請不要再問這些吧！慈愛的母親呵！

母親　啊！對不起！

軍需長　兩隻飛馬蹄，

今天到這裏；

明天到那裏，

恨的自然是仇讎，

愛的也不能將我佔有，

我生彷彿一夜秋風起——

呵！娘子不回頭，

母眼淚雙流！

我們有權力，

請把今夜訂做女性苦難節；

今夜月是陰曆中秋初十晚？

等我們削平大難，

好在明月永永不衰殘，

年年一到今夜晚，

讓男兒女子們都祝福吧，

紀念著，要超過耶穌聖誕！

這樣我們才不算白死！白死！

大姑娘　何不把牠叫做人類浩難節？

軍需長　到生存都不成問題，人類嘗歡聚，人類不防多有幾個紀念日。

（四個兵士喊着衝出來

兵們　你花言巧語！……

（兵一二將刀尖抵住軍需長底胸膛）

兵一　老羊天你不說出姓名，你在欺人騙人，我們恐怕不是你，誤殺好人！你快快自己招認！

（姑娘急急跑過來，只披着衣裳。）

大姑娘　幹甚麼呀？呵！你們行凶？

兵二　你知他是誰？

兵們　他就是那騙子軍需長！

（軍需長發奇笑）

大姑娘　你們聽我說：他決不是騙子！媽，這件事他那全知道？

母親　看他不是騙子呀！有話好好說，上前我也疑心了！

兵二　你那知道，他用花言巧語來遮蓋——

班長　要他把實情說出！

軍需長　哈哈！你們看我怕死嗎？刀在你們的手裏該放心吧！事情說明了，我做東道主，請你們殺我大家吃！

兵一　那何消說！

大姑娘　我可以證明，他完全是一個好人！眼看我家今晚就要餓死了，突然來了一個牽馬婆，牽馬婆，領我到這先生那裏。我能我能清清楚楚看出來，這位先生一見我去很奇怪。那牽馬婆才眞是學古弄嘴，花言巧語呢！這先生問明來由，罵了牽馬婆一屯；後來牽馬婆跪着求饒，我又講情，大家都知道是無可奈何的，不是嗎？這先生才饒了她，給她一塊錢，叫她快來告訴我媽媽。這先生還不放心牽馬婆帶我回來，只叫她先回請我媽安心等一等；他要親自送我囘來見我媽。他只是同情，憐憫，他決沒有一絲一毫調戲我，連半句粗鄙話都沒有說。我一定不要他送我，這他倒千請萬請；我無法，他送我到蓮花池。到了蓮花池，我死死地要他轉囘去。他果然囘去了。我想，天無路，地無門，橫竪死，我一時短見，我跳蓮花池！——

母親　阿啊！心肝！

大姑娘　那知剛跳下，突然有人把我救出來！那救我的人呀，就是他！就是他！他脫衣裳給我穿。他將我背囘家來。他從前壞不壞我不管，——這就是實實在在的情形。你們聽清楚了嗎？

（刀不自覺的拖下了。兵們一個看一個，怎樣解決。）

軍需長　（笑）再不相信呢，——唉！我看你們的行動我很喜歡。請殺吧！

大姑娘　我感激你們！幸好你們沒有孟孟浪浪就屠刀。

班長　那末——你手裏那包是甚麼？

軍需長　你們想，一定是好吃的和金銀財寶。

兵一　也許是。你不敢當着人賣弄，恐怕要

出水——

班長 打開我們看看吧！

軍需長 哈哈！

我扣餉，

我偸糧，

製一份天大的家當，

討幾個蓋世的姑娘，

好！一隻帶箭瑪鹿山下滾，

見者都有份——

我們來分贓，

我願你們也製家當 姑娘。

（把布包遞給班長）

你們解開吧！

（大家注視。解開。）

大家同聲 （驚異）啊啊——啊啊——一個人頭！

軍需長 還殺我來添着吃夠吃嗎？

班長 我們錯了——個人頭！——

兵們 錯了！錯了！我們全認錯！我們該受罰！

軍需長　因此我才愛你們！更誇獎你們！今夜死或明朝死都沒有準。——唉，那貪暴的官僚富豪們死了，身邊還得帶着多少的珍珠寶貝，古代的帝王還得逼著幾個美女陪葬呢。我們是困死，是餓死了！是爲一切窮苦人們戰死了！現在我們眞眞可以向全世界宣告：革命！我們的行爲眞眞是革命！——好了，這件事完全作爲罷論，我呢？一切人都可以隨時檢查我的行爲，我的所有。你們更得嘗嘗有這種勇於除暴扶弱的精神！

班長　兄弟們，爲了軍需長的公誠大度，我們給軍需長敬禮，"敬禮！"

敬禮畢，大家有笑意的靜肅。

班長　這人頭也不容易得來吧？

軍需長　我從蓮花池邊跑，跑到幾個弟兄處，恰好他們正在熬着肉。這般時候還有甚豬肉牛肉嗎，人頭！人頭！人類吃禽獸，禽獸吃人，人類禽獸本來分家不多久：人吃人，人吃獸，獸吃獸，獸吃人有多少分別呢！爲苟延生命，媽媽，姑娘，你們幾位，吃罷！吃人頭！吃人頭長生不老，與天地日月同壽！

大家　我們也才吃過人肉呢！

軍需長　那末，姑娘，你烘烘熱熱，我燒給你吃。

大姑娘　好。

木匠　要着涼呵！把衣服好好弄起！唉——

媽媽　你吃下幾口水了吧？

大姑娘　還好的，不要緊！

兩婦人　唉喲——

木匠　（向兩婦人）誰知道人的下場！小二媄死那一天，大姑娘恰恰下世！開初我一見一聽大姑娘，我總想起小二媄，後來天天見，像是一家人，我也就忘記小二媄了。眞夢也夢不到，大姑娘——幸好天保佑！

兩婦人　天保佑快開城！

班長　我們在的時候太長了。軍需長，我們先走。

軍需長　你們先走，（笑）不怕我又弄出甚麼歹事？

（兵們笑着，離船退出去了。靜默好一會）

大姑娘　眞好笑！眞眞像做夢！（吃着人肉）

軍需長　夢還沒有醒呢——

大姑娘　永久是一塲大夢，古今人同樣感覺。小時候，讀到「人生若夢，爲歡幾何」雖不大淸楚，也覺太白是個深情人。——

軍需長　未央宮殘碑一塊，

你我不見銅雀臺；

當年長安洛陽道，

石上坦丁堡，

自從哭斷洛陽橋，

古代王宮一火燒。——

時代無窮走，

如今見李白，

李白不願一識韓荊州。

走，李白伙着兵士走，

一道兒，上城樓，

念天地之悠悠，

糧草絕也人頭渡燒酒！

貴妃！捧硯來！

黑蠻書酒後，

更民族光榮，

干諸侯罷也，階級戰鬥！

浪漫？頹廢？

窮苦人　沒活命啊！

中國文士們革命只會在偶像的面前磕頭，

世界文士們空喊着人道主義，

有的社會革命者們說：

"無產階級無祖國"，我說：

"無產階級的祖國是在全地球"，

咳，黨團總'排他'，

　同是可憐人也同爲戰士，

　總不能攜手，

　勿怪磕頭的磕頭，

　　空喊的空喊，

　矛盾中把一座城池當地球！

　怎不愴然而泣下，

　　念天地之悠悠！

（稍停）

　　木匠　對母親　我聽着很苦，但是我不懂，不通文理的人眞——

　　母親　是和大姑娘說的，我們不很懂也不要緊。

軍需長　這就是人類的罪惡！

（大姑娘警偷看他，但兩眼一對着又避開了。）

母親　唉——

（一陣沈默，木匠添火。）

大姑娘　母親們都愛聽故事，你唱唱故事的曲子好不好？

（母親又想探聽軍需長的身世——）

母親　先生，你再細細地講你自家的故事吧！

軍需長　我很怕講着自己的事；自己的故事，三天三夜講不完——

母親　你怎樣撫育長成的？

軍需長　我白髮的奶奶，

我父母，我叔叔，

他們撫育我。

從我三歲起，

那塊地方三年天乾旱——

我們原有幾塊田，

開初自己耕一半，

天乾旱，佃戶也不願意分租了，

我們沒有錢去請幫工，
我的父親早出門，
就是白髮蒼蒼的奶奶，媽媽，叔叔們親自下田；
媽媽脚裸太小了，下田不大方便，
奶奶，呵，還有嬸嬸都是大脚板，
　大脚板，較能幹，
但是媽媽甚麼也不願落後，同樣的，
下田，推磨，舂穀，送飯……
一走動那裏，
不是奶奶就是媽媽背着我；
放下來做事，
　才把我放在身邊。
有回媽媽做下事來不見我，
跑着，喊着，找遍了，
呵！那知我腡脚走到南橋下，
　我在低着頭，把石子架成橋樑玩；
後來媽媽找見我，我還記得呢，
媽媽咬緊牙齒像恐嚇，又着急，又喜歡——
媽媽把我抱起來，
媽媽熱淚滴在我眼前！——

田不能種穀，
收得一些豆，
自己打豆腐，
豆腐都是多半留着自己吃，
門前擺個小攤賣豆腐。
唉，天旱久了多瘟疫——
後來媽媽常說起，
　一黃昏，息盡風烟，
　偶然聽着鍊子響，
　瘟疫神過街，
媽媽就把兒緊緊抱着：
"這個地方已經查過了，
這個地方都是良心好的人，
良心好的人得天保佑！
天！慈悲的老天！
　保佑我的小寶貝！
　保佑呀！慈悲靈感觀世音！"
奶奶說，有一回是媽媽昏去了，
媽媽說昏話——
"把我拿去不要緊，

我的寶貝，我的娃娃呀！
我又沒有昧良心，
怎麼要拿我的娃娃去？
拿我去！拿我去！
請你們留下我的娃娃呀！……"
幸好媽媽沒有被拿去。
多少人都已經餓死，
多少人在吃草根樹皮，
差不里像這座城的死人多，
不知那回人吃人沒有，人吃人，
這大概是媽媽不肯說把她孩子們聽的！

母親　唉！到處老鴉一般黑！
媽媽　黃巢殺人八百萬，在劫者難逃——
母親　你家是不在劫的吧！
軍需長　好容易才逃出三年荒！

第四年稍稍有雨。
唉！搶水的故事呵——
奶奶拚命開得一點水，
白天扛着鋤頭在那田邊轉，
夜裏也不肯回來，

偷水是農民的習慣，

奶奶就和叔叔替換着去守。

有一天夜晚，

奶奶帶鋤頭，睡在田埂邊，

忽然聽得有人來偷水，

是鋤頭的聲音，在決田埂子，

黑夜，誰也難見誰，

剛在決，剛在決，

奶奶聽見了，

奶奶猛然翻起身子來，

提起鋤頭，這麼，拚命一聲便挖去！

（稍停）

大家　挖死了那偷水的？

軍需長　差不多就挖死了。

那人打着大套頭，

一挖，挖在套頭邊，

差一點洽中腦袋。

奶奶正要再挖去，

我人已嚇的魂不附體，屁滾尿流飛跑了！——

這一類要命的故事呀，

奶奶痛着心，講給我聽，
爲甚麼要痛着心講呢？
因爲我父親，奶奶的大兒子，
他出門多年無錢也無信！
奶奶聽說他在遠方做知縣，
三年天乾旱，
　他不寄錢來，
　他也該有信來問問老人安。——
很多很多奶奶吃苦冒險的故事呵，
　奶奶痛着心嘗講，
　街坊鄰舍也嘗講，
就是被奶奶一鋤頭挖跑的那粗漢子也嘗講——
　　大漢子一講起來，
　　"呀！輌奶眞胆大！
　　　輌奶眞害怕！"
　　大家　眞胆大！眞害怕！
　　母親　我聽着都抖起來了！
　　軍需長　奶奶本是信仰佛教的；
我十五歲出門的那一年，
奶奶在佛前瞎許誦經一千遍。

奶奶那卷佛經可是父親親手抄寫的。

每朝天還沒有亮，

奶奶便起床，

點起佛堂燈，

焚起一爐香，

奶奶小聲誦，小聲唱，

一會一會輕輕敲那佛前磬，

"磬—— 磬——"

唉！我永遠也忘不了那

"磬—— 磬——"

我一想起奶奶五更誦經來，

人生都淘凈，

週圍像站滿靜穆的，大慈大悲的聖靈！

只稍三更月明無風無響時，

你們靜靜的——

靜靜的

坐在山野流泉邊細聽，

你們便可以感覺

奶奶的五更誦經！

（靜寂一會）

大姑娘　我像在大慈大悲的聖靈中了，
肉疏疏的　　幽涼涼的
奶奶簡直是活靈活現的佛爺金鋼。
塵凡世界的釋迦牟尼！
母親　你出門幾年了？
軍需長　十幾年了。
母親　奶奶們都還在嗎？
軍需官　開初我離家只千多里地！
奶奶和媽媽催我回家，
最後連接到奶奶病重的消息，
時那我已決定跑到北方來，
我堅持不回家去。
信越來越緊，
我急忙跑向北方，
回家去？少年人回家總難出家，
家庭愛，有時簡直是一種無期的刑罰。
有一夜在北方做夢，
夢我回家去，——進門，
把奶奶的頭抱在懷裏，
奶奶往上看了我一眼，

一家人都在哭泣，奶奶斷了氣！

我是哭醒了

眞不能解釋：

不幾天，友人轉我一封信，

信上說，奶奶已於上月死！

（稍停）

大家　唉——

軍需長　後二年，出門十多載的父親又死在邊疆，蠻煙瘴雨的邊疆，

那時母親來封信叫我立刻回家，

唉！男兒立志在沙場，

苦殺母親了，親母一場空望想！

（靜默一忽）

母親　你的親事怎樣提起的？

（大姑娘和軍需長一眼恰相碰見，立刻似閃電地避開，都臉紅了。木匠一笑。）

軍需長　鑄定了，她愛我，

我家中那個老婆。

王三姐吃苦馬菜，

一等便是寒窰十八載，

西涼公主趕三關，
趕着平貴寒窰來；
我，未到十八載，
而我已有愛中愛——
一愛洞庭湖，
一愛在大山；
現在孤單，愛孤單，
人間罷風起，
雙雙行行燕兒全飛散。
寒窰苦，北地雪風寒，
我吃燒人頭，
她吃苦馬菜，
"早知潮有信，
嫁與弄潮兒，"
我願她找弄潮兒，
偏是"啼時驚妾夢，
不得到遼西，"！——
慈母不見愛子呵，
少婦一去老妻！

（母親很引起悲傷。看了大姑娘一眼，對軍需長有些而失望的凄涼。

大姑娘　愛洞庭，

愛天山，

罡風起，

愛到死城來。

祝福洞庭！

祝福天山！

月知我心，

蓮花池畔！

軍需長　我心早如蓮花池，

水淺蓮枯死，

忽來風雨，(稍停)——唉——

也嘗那陣月明時！

大姑娘　我不問洞庭天山，

我只想蓮花池畔；

'他'便騎着罡風去，

永是水淺蓮枯死；

只要月再明，

月知我心，

心情水盈盈，

月我嘗相印。——

'他'飛海外，

'他'奔洞庭，天山，

月知我心，

心情水盈盈，

月我嘗相印——

罡風倒影，

俠客精神！

軍需長 爲吃飯·爲人類，

男兒該勇敢；

勇敢便須負得一身愛情債。——

父親死那年，

母親計算父親足足離家二十載；

如今我又出門十多年，

我也像父親，三年不寫一封信，

是東奔西流的兒子

寫起信來總痛心！

其實一年年的不回家，

母親也止望兒報平安。——

唉！我負一身愛情債，

單單提起奶奶媽媽來便一生還不完。
還有，還有少女少婦們的愛情債，
眞要把我分成十八塊！
因此我把生命力都集中在一點上，
願我爲苦難的人類作戰，
戰死了，戰死了，
我就可以減輕我的愛情債。

大姑娘　一戰死，甚麼都完了！

軍需長　爲苦難的人類作戰是眞的；
我非勞工，
人該吃飯，就此也便解決了我的飯碗。
成全人類，
一刀兩斷；
愛情債總還不完！

大姑娘　愛情不是買賣呀，
誰要你清還！
愛便愛，愛便愛，
甚麼都可以不管。

軍需長　生活難！

大姑娘　東家要把這只牛兒去翻地，

西家要把這只牛兒去犂田，

南家北家也想這隻牛，

一隻牛兒分成十八塊！

母親　先生！要是沒有我，或是家道寬裕些，我這女兒還有望，

離不開，平常一點離不開，

異要把只小牛分做十八塊！

木匠　姑娘本來很聰明可愛——

母親　大樹宜在曠地栽，

小花也要肥土塊；

自從她父親一死，

大樹小花都吧了，

我只有淚水的瓶瓶罐罐！

大姑娘　媽——

母親　我把她害了，

我只有淚水的瓶瓶罐罐！

（母親差不多哭了，大家全感傷。）

大姑娘　媽！醋娘最愛醋兒酸，

我愛！我愛！

永遠愛媽的瓶瓶罐罐！

甚麼我都不失悔

人性本自然,

叫化子不嫌破衣裳,

叫化兒愛他的娘;

甚麼是有望?甚麼是無望!

母女們相愛,同心人相愛就是有望!

有奶不便都是娘。

希望等於幻想,

而況一切都好像幻想!

母親 我倒沒有甚麼——

大姑娘 有乾吃乾,

有稀吃稀,

沒有吃便同伙死。

台城困死梁武帝,

李後主只留下幾篇詞,

馬尾坡笑唐明皇,

崇貞在煤山自刎:

這些不是父親嘗嘗說的嗎?

呵!"願世世勿生帝王家!"

呵!"吳宮花草埋幽徑,"

媽，圍城上有胭脂井，——
我們，我們，
我們這麼幾個有緣人，
圍着火吃人頭談心——
悲痛極時歡樂也絕頂，
媽！我從沒這麼高興，
媽！只要這棹席不散，
　那怕城永遠圍困。
媽！要是你總不歡樂一點點，
　——管有緣人們都散盡，
　那怕就開天國金，
　我做全世界的皇帝皇后，
我總不高興！

（大家笑了）

　　母親　只要你高興我也就高興了呵……但是——

（想吐露，又忍着）

　　大姑娘　甚麼？……
　　母親　—
　　大姑娘　媽，你說，有話說出了好過！

木匠　說呀……

母親　我不說，觀音看韋馱——（笑）

（大姑娘和軍需長都明白她的心事了，大姑娘故意——）

大姑娘　媽你不要含含糊糊的，你說——

母親　有緣的不因，

有因的不緣，

一個蒲團，

前生沒拜濫！

是前生註定？

娘願前生那個招魂童子來，

爲女兒修行，

只要修行能使緣成因！

空打雷，不下雨，

燕子成雙作對又分飛，

娘是風前燭，

風前燭爲燕子們流淚！

（哭。稍停。）

大姑娘　媽！會郎三更半，

誰得不喜歡！
大地千萬里，
那是九里山；
時光無窮盡，
人生一回子胥過昭關；
嗎！愛情空無盡，
兒女一片心；
啊！郎是大地，
兒上九里山；
郎是愛情空，
兒獨泛大海；
郎是時光，
兒佔當前這一段——
且不問明朝，
歡樂今晚！
不是嗎？——
（問軍需長）
且不問明朝，
歡樂今晚！
軍需長 歡樂今晚！

歡樂今晚！

大姑娘 啊！念天地之悠悠，

歡樂今晚！

軍需長 盼我們的友軍，

望我們的農民，

前後不知派過多少人出城，

到現在毫無回信！

糧絕彈空，

殘軍有勇，

無弦琴總不好弄。

就當是天文台飛來電報——

今夜三點鐘，

一切星球都相撞相碰；

因此我們要盡歡，

有情人都會在三更半！

大姑娘 哈哈——三更半！

木匠和母親 （笑 啊！半年多不見你這麼喜歡！

大姑娘 啊！有水鏀從天外飛來，

我還願明晚又後晚！

（都笑着

只要有米麵，

星星們別嫉妒我，

我願！哈哈——我願一切都永遠！

（都笑着

軍需長 假使我能夠運用宇宙間的一切法則，

我將造架飛機飛上天頂去，

我向人間高叫；

你萬惡的資本家，軍閥政客，你一切詭祟的東西，

我限你們二十四小時把私有變成公有！遲一分鐘我就要殺你們頭！

我造種武器，

甚麼死光，綠氣，毒瓦絲，

這些玩意我嫌太幼稚，

我那武器能叫甚麼死，甚麼立刻死。

到私有變成公有，

我又向人間高叫；

人類從此要親愛，

不親愛，我就立刻拿着一顆慧星打下來！

大姑娘　二十四小時是太長了，

我們還能再活二十四小時？

（笑）

軍需長　那末限給他們一秒鐘。

大姑娘　人類不親愛，不是連我也打死？

我們先先飛到月亮宮中去？

軍需長　不，獨自一兩人活着多沒意思，

人類死了我們也得死，

大多數人就是這麼一種賤東西，

沒有死的鞭子抽着要跳皮！

人的法律總不能治人，

說給人，只有用自然法律。

（大姑娘笑着點頭）

母親　你說飛機？

軍需長　是，飛機。

母親　我願親眼得見你們兩個人雙雙地飛上天去？

大姑娘　這屋子，看！

這不就是天宮嗎？

(指破牆外的西天月，大家看 ——)

看！月亮在我們的牆邊理着雲絲，

呵 ——月亮她在問我呢 ——

啊！月姐姐，

　我愛這天宮，

　我也愛人世 ——

呵！呵！ ——

你問我爲甚麼還愛人世？

呵！是的 ——

　天宮沒有人頭燒着煑着吃 ——

啊 —— 是的，

　情郎送我人頭吃 ——

你和我到人間去？ ——

你 —— 你 ——

別怕人間世上沒飯吃，

我嘴裏要啥着一塊人肉嗎，

我一定分做兩口，

一口分你吃——

我決不自私呀，

到過天宮的兒女那還有自私——

呵——不，——

我的情郎他也會愛你——

——不——不——

只要情郎在，

人世不會苦

——不——你別笑！

笑？——

燒酒不嫌燒，

那嫌醋味酸——

——那嫌醋味酸？——

哈哈哈哈哈 …………

你別走——聽小曲？——好—— 哈哈哈哈哈…

…………

（大家都笑着看着當是眞的。）

會郎三更下，

誰個不心歡！

孃呀你先睡 ——

（先前那個班長和一個傳令兵跑進來，曲子打斷了，大家驚看著——）

傳令兵 軍需長，找你好一會了。幸好遇見

他（指班長），才——

軍需長　甚麼要緊事？

傳令兵　請你快到總參謀那裏去——

班長　（搶說）有救了——

軍需長　甚麼？

傳令兵　是這樣：一個人，就是大家都叫他做「流浪人」的，才不多一會，他冒險偷着爬進城來，他來報告，有很多農會，一批軍隊，還有一批土匪已經運動好，準在今夜五更殺起來。他們殺起來，我們就從城裏殺衝鋒出去。他們是風火山上的，大概都要往那裏集合——

（大家都驚心地快活起來——）

軍需長　農工救了我們了！先回去！我就來！

（班長和傳令兵帶着敬禮的姿勢，轉身就跑了。軍需長有點躊躇。大家靜待着。一會——

大姑娘　走吧！走吧！

我不能送一把大戰刀，

我心算是一隻追風馬，

走吧！你就騎上我的追風馬！

（軍需長像有甚麼心事還不曾交代的——）

　　大姑娘　我不必指天盟誓，

你也用不着叮嚀；

農民救你們，

至少該得爲農民努力革命；

中國農工受的壓迫一樣多，

　罡風掃壓迫，

　你們是罡風，

走吧！哥哥，我開始叫你哥哥！

（稍停）

只稍你偶然想起那蓮花池畔，

不要說，不要說

　'海枯石爛我總要轉來！'

我是三隻脚的羚羊嗎？

待他年，我方便，

船頭不遇，轉拐相逢，

總共有這麼拳頭大的一個世界！

　　軍需長　唉！蠢才，蠢才！

　你無用的東西！

　自將籐籮絆馬蹄，

好在我有追風馬，

姑娘！妹妹！

甚麽也不能羈絆，

走！我騎追風馬上風火山。

風火山上林歌響，

姑娘！妹妹！

隨處妹都得見妹的情郎！

妹！罡風起後蓮花開，

你不見情郎，

情郎站在蓮花上！

我走也！妹妹！

親愛的！親愛的（向母親木匠們）

啊！我親愛的——

（大姑娘伸手給他，緊握着。母親歡心而含傷。木匠默默笑看着。有要走而大家起身送行的形勢。——沈默好一會——）

母親　願旗開得勝！

木匠　馬到功成！

（又沈默着一小會）

木匠　要我沒有妻子在身邊，我很願同走！

軍需長　只要城圍解，（向木匠）

又有路通風火山，

隨你幾時來，

我用滿腔熱愛歡迎你！

隨你幾時來！

木匠 好！我曾到過風火山，

那裏風嘗吹，

樹大五六圍，

傳說老古時代嘗噴火，

也嘗聽說山中有妖怪。

軍需長 呵！要是我們殺出一條血路去，

敵人進城呢 ——

好不好，大家一伙去？

母親和木匠 怎麼去？——

軍需長 我們在前頭，

你們在背後，

母親 唉！我先死了好——

軍需長 你們商量着，一會我打發個弟兄來看——（睡中的孩子叫：媽媽！媽媽！）

媽媽在睡中答應：！呵乖乖！寶貝！

（沈默一忽）

軍需長　我走了！愛親的！

（握着姑娘手，轉身，才一兩步，突然又停着——

大姑娘　拾起一塊人骨片，（拾一骨片

我要用牠做別簪；

蓮花開時我用別簪去數蓮花瓣，

蓮花謝了我數蓮花蕊，

沒有蓮，數我的一指頭髮——

一次逢雙哥還在，

兩次逢雙哥轉來；

一次逢單哥遇險，

兩次逢單——唉！

決不要兩次逢單！

軍需長　一次逢雙，兩次逢雙雙成雙，

雙雙至少夢見妹情郎；

一次逢單，兩次逢單，單單也是雙，

雙總不絕望。

'單'你最好不要來！

省得我妹妹胡思亂想！

大姑娘　那末你走吧！

軍需長　——

大姑娘　走呵！

軍需長　一個念頭！一個念頭！

該殺的，該檢變的念頭！

大家　甚麼？

軍需長　衝鋒總是兵士們先死，

上級官長多落後；

妹妹！一個該死的念頭！

木匠和母親　不要那麼說！

母親　天保佑！

軍需長　妹妹，你聽了，

該把我羞死！

呵！我賭咒！

愛人前賭咒：

此番我決不落後！

我決衝鋒在兵士的前頭！

愛情是火力，

愛情叫我騎着追風馬快走？

一秒鐘怕刺刀刺，

愛情面前該羞死！

愛情恨殺了——

一秒鐘也吧，
一秒鐘懦怯的男子！
一秒鐘懦怯便是僵尸！
愛情人不愛僵尸！
妹妹！幸好愛火又燒活僵尸！
吠吠！風火山當前，
　懷起月明夜，蓮花池，
　死猶生，生猶死，
　時光一條線，
　追風不再遲，
　我去也！
　妹妹！
　親愛的！（轉身又停留）
　　大姑娘　壯勇的！壯勇的！
死猶生，生猶死，
時光一條線，
去也！我壯勇的戰士去也！
苦難人的戰士去也！
壯勇的！來！
再留個記念——

（大姑娘伸高兩手要跳去抱他的頸，他一抱，將姑娘抱起橫在胸前，盡全生命的熱烈一吻，吻長兩分鐘。母親和木匠極驚奇地默笑，呆看着。突然放下姑娘來，狂叫着頭也不稍回地跑出去了！永遠地跑出去了——）

軍需長（充滿着愛火地狂叫着跑）

我去也！

我去也！

親親的！

妹妹！

我去也！

…………

…………

（軍需長走時，大家一陣呆望着，到他似箭地唱出門外，大姑娘才突然追到門坎邊，像失了心地張著兩手往外望。一直到聽不見他的聲音，才突然放下兩手掌來緊緊蓋着臉。——這時木匠極憐惜的喊——）

木匠　回來呀！大姑娘！

（不應）

母親　大一　姑娘！

（母親音悲顫，'大'音才發出，喉梗淚流了。姑娘也不應。）

木匠 唉唉——

（好一會，姑娘突然放開手，笑着喊着地向母親來。——）

大姑娘 媽媽！媽媽！

（她的笑使得母親更悲痛，但母親也更勉強着自己——）

母親 乖乖！——

大姑娘 媽媽！

母親 ——

（母親打了個寒戰）

木匠 呵！又冷起來了？

（木匠急忙燃火）

母親 叔叔，我們也同伙出城好嗎？

木匠 看瞧吧？——

（孩子夢話——

孩子 爸爸！爸爸！

木匠 呵！乖乖睡！

孩子 爸爸！爸爸！媽媽——

木匠 好好睡！明天，爸爸給你吃老肥肉！

（都悲痛的微笑了）

孩子 爸爸！叫，叫化子大叔嚇我——爸爸

……………………

（孩子叫聲中，月光已全走過了，屋只一小灘光色照着。孩子叫聲中，木匠回聲中，幕緩緩落下。）

山火風到聽

第　五　幕

風火山

登場人：

流浪人

工人一

工人二

歌妓

木匠

大姑娘

老三

二姑娘

農民一

農民二

兵一

兵二

耍火球的土匪一

戲吞火的土匪二

總司令

青年

文學家

哲學家

癡情人

報信者

糾查隊隊長

糾查隊八人

其他工農兵數十人以至千萬人

佈景

時正秋風天，被圍困着的，死過半數的革命軍，因農工和强盜的援助，帶着一部分貧民殺出城來，在風火山上。他們就把今夜當做狂歡節。殺得幾隻牲口，運來一批燒酒，一伙在山上痛飲着。衣單，風快寒，山中都燒着一灘一灘的野火。一灘火周圍有小羣伙伴們在狂飲酣歌。大森林和野草們也因風火狂舞狂醉了，獨明月約在三更後才起程來會。是怎樣的一回歡聚呀！敵人還在遠處取包圍的形勢。不管他，我們苦得不少了，今夜初更天，且在風火山狂歡一場吧。

流浪人高舉起酒碗——

流浪人　請——請請請！

兄弟姐妹們！

大家　請！

（都痛飲一口）

流浪人　狂歡呵！狂歡呵！

狂喝狂歡酒，

狂唱狂歡歌，

狂慶狂歡節！

狂歡狂歡呵！

呵——呵呵呵呵呵，

你我兄弟姐妹們是悲哀，

你我兄弟姐妹們更是歡樂；

你我兄弟姐妹們是鋼鐵，

你我兄弟姐妹們更是野火；

你我兄弟姐妹們愛大森林中把酒喝，

斬不斷，拆不開的酒的你我兄弟姐妹呵——

不是得歡樂時且歡樂，

我們無時無地不歡樂；

不是得狂歌時且狂歌，

狂歌無時不狂歌——

（一陣風起，都凝望森林頂動搖。）

……………………………………

西風馳馬過山崗，

大森林響響似海洋，

我們當頭喝住西風馬——

"你那道而來？

你那道而去？"

看！

西風馬失蹄，

西風跌在我們酒缸裏。（風且息）

小子敢在這裏來賣弄？

我知你名叫西風，

我們輕歌一二宇宙也振動，

小子誰敢這裏逞英雄！

看看這裏甚麼人，

都贱士農工！

小子你英雄也過去的英雄，

你敢這裏賣弄！

兄弟姐妹們，

誰把西屋提出酒缸來？

（大家奇笑着）

呵！從此牠甘拜下風；

牠願我們一伙去暴動。——

風！風！

風呵！

親親愛愛的的風！

歡迎歡迎風入夥！

兄弟姐妹們——

（一陣風又起）

風入夥，更歡樂，

更歡樂就該更更更歡歌！

起來！

親愛的！

全起來！

（都起來：只一個木匠拿着酒碗愁愁坐着喝。）

跳起來！

唱起來！

大家 冒千山萬苦，

征服人間豪富，

大好兒女們，

血路上高歌戰曲！

一個朋友下監牢，

千個朋友殺火冒；

一個朋友槍決了，

萬個朋友滴血誓戰刀；

戰刀殺火冒！戰刀殺火冒，

朋友們——

要太平，天下太平，

只有我們不太平，

要天下同歸一盡！

朋友們——

他們會吃勞動者的血，

我們要吃吃血者的心！

朋友們——

我們是要天下沒有一個勞動者是可憐人！

朋友們——

地球是擂台，

敵人們擺擂，

這都是家常便飯，

喝幾碗燒酒，

高唱大戰曲去者！

"兒是誰？"

兒倒下擂台！

吹吹！

（狂笑）

"兒是誰？"

兒倒下擂台！

（狂笑）

流浪人　戰士兄弟姐妹們，

大喝一口酒，慶祝我們的勝利呀！

（喝酒，笑）

流浪人　戰士兄弟姐妹們！

再大大喝一口，慶祝人類的勝利呀！

（笑，）

流浪人　只要麥兒還是兩頭尖

（大家和唱）

高山有的是清泉；

肚子飽，雜拌麵，

自然愛馬鹿鷓鴣。

山嘯海潮風起了，

勞苦才知酒肉呀，

眞——好的味道！

（眞音重，長，香甜，好滋味。）

啊！一缸高粱酒，

十個敵人頭；

恨的是有頭無酒，有酒無頭，

有頭又有酒，

兄弟伙，

冒險自然不落後，

誰不喝？

不喝鬼打頭！

（笑）

他，他不唱！

不喝鬼打頭！

（笑）

流浪人　我們要人類生活，

（和唱）

我們要人類生活，
因此我們去燬滅；
我們要掃除政權，
因此我們去奪取政權；
呵！打破私有的世界！
建築公有的世界！
他們罷說烈士們的墳墓已經修理好，
這些我們才都不需要。
一缸高粱酒，
十個敵人頭，
年年有次狂歡節，
他們的政權千秋，
我們的狂歡萬壽！
狂歡節是生命火，
反革命給我們火上加油。
呵！年輕馬兒飛飛走，
戰士長川不回頭；

死亡更多歡情花，

終歸是歡情的天下呀！

呵，終歸是歡情的天下！

（一個深陷空虛的頹喪的，帶醉意的青年走過來。流浪人分明看見他，裝未見。）

流浪人　生而不狂歡，

比如騎兵殺戰馬，

胎兒告長假——

青年　任你說齊天，講齊地，

人類總無可挽救！

人性似瓶酒，

舊皮囊換新皮囊，

囊新酒仍舊！

囊新酒仍舊！

工人　你說我們吃的甚麼酒？

青年　老燒酒，老燒酒！

開天闢地以來的老燒酒！

工人　喝呀！喝呀！

喝這開天闢地以來的老燒酒！

大家　喝！好美的老燒酒！

（大家喝

青年　哈哈——（熱笑中有悲忱）

流浪人　喝！好美的老燒酒！

人類滅亡的那日，

我還願立在那最高的山頭，喝——

喝！好美，好狂烈的老燒酒！

青年　山頭你喝後，

一切都罷休！

流浪人　一切不罷休，

一切永動流。

青年　隨牠不罷休，

隨牠永動流，

人已無挽救！

流浪人　天空中造酒，

太陽變地球，

一切全有救！

無救？——

無救正好喝燒酒！

青年　唉——

流浪人　無救裏去找有救——

花從土中開，

人從下等動物來；

苦難當頭，

千年後事何須你懷憂！

青年 將來一做起高官，

那還有這般親愛，

正是花從土中開，

人從下等動物來！

流浪人 他們的政權千秋，

我們的狂歡萬壽；

狂歡節是生命火，

反革命給我們火上加油！

青年 永遠這麼報復，這麼屠殺下去嗎？

流浪人 從勞動佔有，

到全人類佔有，

全人類勞動，

無所謂佔有。——

能夠少殺一個人便少殺一個人，

也願那一時有不殺人的革命；

可是呀，誰要逼着我們走死路，火拚，

只有長川着火拚!

青年 唉——

(工人大笑了)

工人 不錯呀,眞不錯——

"知識份子的理論最激進,

知識份子的行動不耐久;

熱情高漲時願打先鋒,

熱情退却時總落背後。"

看看這位知識份子啊!

青年 你們說的是眞理!

眞理——

唉——朋友!

再給我喝一口酒燒燒血管,

我這無用的虫豺!

(工人給他酒,他大喝幾口後,他吐了。)

工人 啊!他醉了!眞無用!

青年 親愛的———親愛的——

工人 給他睡一睡——你好好睡一睡!

青年 親愛的! 我很清醒——

工人 是呀,酒醉心明白,煙杆打不失。

（抱他睡下，流浪人解衣給他蓋，他只喊『親愛的……』）

工人　脫我們的給他蓋吧，你穿起來，着涼呢！

流浪人　都是火！寒熱我也受慣了。

青年　親愛的呵——

工人　你愛我們，你就好好睡着吧！

青年　是，親愛的！我懷着親愛的親愛好好睡——

（大家靜着好一會，他恍睡過去了。

工人　把火添大些。

（老三，二姑娘和歌妓爭着去抱柴添火）

青年　親——

（沈默一陣。火添好了，歌妓過來，不提防絆着木匠脚，絆跌了

歌女　噯喲喲，那一位大哥故意絆我？

木匠　對不起！跌傷了嗎，大姐？

（已站起）

歌女　沒。

木匠　對不起！

歌女　沒有甚麼。你，你沒同我們一塊唱歌嗎？

木匠　沒。我——

流浪人　你是才從城裏逃出來的？

（木匠點頭

歌女　過不慣這種生活？

木匠　不——

流浪人　全家逃出來的嗎？你一個？

木匠　還有我的小子和老婆。

流浪人和歌妓　哦！

（有的已來圍着看）

歌妓　小子和女人呢？

木匠　唉——

歌妓　呵！你逃出天羅地網，

她們在在疆場上？

二姑娘　頭一仗，死了那個補鞋郎，

二一仗我媽媽受傷，

還死了多少的隣舍街坊呵；

像我女兒家也把傷心不當一回事，

你要兒子，他們年紀輕的可做你兒子，

你要姑娘？我做你姑娘！

傷心傷不了那多——

鐵棍磨成繡花針，

繡花針也當長槍，

不要那麼直扛扛的想！

木匠　不。我妻兒死了便死了，——你們聽！聽——那邊！——

（大姑娘在山的右上方，隱約得很。）

大家　哦——

大姑娘　滿山滿樹滿星天，

隨那裏都見呵——

你用刀砍樹呀愛！

愛呀你用槍射星星眼！——

我錯看了，錯抱了，唉！

那是情郎？

情郎不欺騙！

（她迷糊地走下幾步，火光中可以看見她。）

我愛！蓮花池開滿白紅蓮，

我愛！你別躲，分明你在池水邊；

呵！我愛你在蓮花上，

呵來呀！

呵我愛！

（她彷彿看見她的情郎軍需長，她撲過去，她撲空了，她撲在草堆上。大家看着，不約而同地一聲『哦！』）

木匠　看吧！我怎能歡樂！

二姑娘和歌妓　我去扶她來！

（木匠急忙阻止）

木匠　不，決不能！

歌妓　唉！初出巢的白鴿兒受傷了！

（大姑娘振起頭和右手來）

大姑娘　來！來背我回去，

我要吃人頭！

那不是媽媽？

媽媽！你老人家在燒烤人肉？

啊！衣裳這麼濕，

我換換衣裳，你們先吃吧！

（沉迷去一陣）

農民　救她起來，她是瘋了！

木匠，待一會，動不得現在！

（她坐起，迷望遠天。）

大姑娘　呀！分明不見西天月，

我還以爲蓮花滿池開；

情郎那裏!

媽媽都不在!

(一陣風起)

大姑娘 風!風!你笑我?

山精,鬼怪——

酒!酒味香,

呵,你們這一羣野獸,

野獸們喝酒!

……………………………………

風!風!

你在說甚麼?

……………………………………

是嗎?是嗎?

五荒六月雪花開,

我的愛人才轉來?

(音悲顫已極,帶哭聲)

噯呀呀;

五荒六月雪花開,

我的愛人才轉來!

呵!愛!愛!那不是你嗎?

他們都在戲弄我，

愛！用刀砍那鬼臉殼！

愛！來！來！來背着我！愛——

（她撲過去，差不多跌倒了才回復身來；站着，眩暈着。）

農民　真了不得！

兵士　快把她背來！

木匠　不行不行！

歌妓　行——

木匠　不——（阻止她）

流浪人　我們不行你去罷！

（大姑娘軟軟地跪下）

木匠　誰去叫她，便是誰去早早逼死她！

大家　甚麼意思？

木匠　我和她家只隔着一堵薄板壁，受餓，餓的快死了，那夜我正去荒地裏找死人，找來同伙吃。那知，她出門，她跳進花池！後來是一位軍需長把她濕淋淋地背回去。我親眼看着，他們倆是很親熱的。一殺出城，那軍需長自告奮勇打頭陣。我們兩家跟着逃，這姑娘的媽媽，她就只有個媽媽，她媽媽和我妻兒都被殺死了；——這還不打緊，偏偏那位軍需長也送了命！唉！這姑娘是從小我就很喜歡！現在——她氣的快瘋了，我，連我也不理！我最最——爲她傷心！我也在想呀：活着眞沒有一點味氣！——

二姑娘　看！她又起來了！

歌妓　讓我一人去！

我有偏方，

專醫好姑娘！

木匠　不。你去？去是逼她快快死！

歌妓　我，全身腐爛生蛆虫，

我包醫創傷，

我有隻濃血化鍊過的藥囊。

她，嫩玉似的處女吧，

我，清泉，骯髒水——道兒匯合的海洋；

叫她投在我懷裏，

我給她一個，一個頑強的雪浪！

呵！朋友們，

甚麼叫瘋狂？

刀臨頭忘記痛癢，

大瘋狂前不見小瘋狂！

（歌妓走向大姑娘去）

耍兒戲瘋狂，

耍靜鎭瘋狂，

親愛的孩子呀，我來了！

（大姑娘驚望着歌妓）

山峯也不過我右邊的奶奶，

　山峯巍巍，

你巍巍，巍巍也不過是我左邊的乳房，

（大姑娘驚駭，像要逃 她——）

想想呵，生死固不値一問，

勿奈孩子們都偏偏要活在世上！

（她離大姑娘一丈多遠了。大姑娘驚叫着向左山邊跑。

　　大姑娘　你山精，你妖怪，

你向我走來！

愛——我的愛！

殺死她——妖怪！

……………………………………

（叫着，跑着，歌妓追着她，兩人都不見了。在大姑娘的叫聲中，歌妓喊着：“孩子！妹妹！親愛的　　”大家都怔着。一會兒。大家——“唉……”）

木匠　看！不是嗎？去逼她快死快死！

（全體哀沈好一會。）

青年　（夢囈）親愛的——人類——沒有挽

救的——人類——

（一股冷勁使大家悚然着）

青年　親愛的——親愛的——

（流浪人去添火）

工人　把火添大些——

青年　火——火！親愛的——人類有救？

——老燒酒——親愛的——我——

不再回去了——

大家　唉——

（又沈寂一小會。糾察隊合唱着過來——）

糾察隊　千軍萬馬，

要維持不慌不忙的步伐；

一二萬人唱軍歌，

三五十人奏大樂，

前進呵前進，

像個媽媽打鞋底，

針針線線要盤齊。

誰胡鬧不守規距，

叫哥哥槍斃小妹妹，

叫姐姐槍斃弟弟，

不容情的——

自己得懲罰自己，

親愛的殺親愛的！

唱到一半，都立在他們面前了。)

農民　問問那些小鳥兒，

甚麽比得耕田種地有規矩！

不要看黃曆，

一年年四季，

種瓜得瓜，

種豆得豆，

請看看秋收，

少見孩子山中去放牛。

工人　好呀！好！

農人　自從小陽春，

天天看陰晴；

農夫一出門，

胡蝶兒向四野紛紛，

紛紛去，告牠們——

　農夫來閱兵。

呵！雲走東，

　有雨化成風，

　自然有規矩，

　都在自然規矩中。

　人造規矩都無用。

　　工人　你們不錯呀！（用勁朝笑糾察隊）

　　糾察隊　一樹果，有酸甜，

那有兒孫個個賢；

不要吹牛誇海口，

有自投羅網，

　木匠帶枷；

一架胡琴兩根弦，

一個釘子一個眼，

鐵的紀律不講情面！

　　工人　推鉋斧頭更不講情面——

　要方就要方，

　要圓就得圓，

　尺子彈墨線，

一個釘子可有兩個眼，
一架胡琴也許四根弦。
呵，高山有大樹，
造船做龍骨，
造房子做橫樑直柱，
還有人，想用做棺木；
來來來！
大家打個賭，
誰先壞兒紀誰輸！
糾察隊　好！拿甚麼打賭？
工人　隨便！
糾察隊　哈哈！說到"隨便"你們一定輸！
工人　我們一定輸？
哈哈——
裁縫偷布，
和尚嫖尼姑；
不管誰偷關過卡，
一定是官吏貪贓枉法；
分明十個人，
你數只有九個人，

糾察?你們先糾察你們一下!

(大家笑了)

糾察隊　剛才那邊山有個工人,

吃着酒,吃着酒,

鬧笑話,那工人,

猛然奪過槍來打死一個兵!

大家　眞的?

糾察隊　不是恰逢我們到那裏,

啊!你們想想要傷幾條命!

工人　他酒醉?

糾察隊　醉到現在還沒醒!

工人　酒醉殺人不抵命!

糾察隊　那末誰要殺人只管去吃酒,

酒醉殺人不抵命。

工人　一定是那兵士欺負着工人!

糾察隊　怎麼會「一定?」

工人　一定!素來兵們總不大瞧得起工人!

隊長　如今我們是一家,

家裏人,通平等,

兵和工農都無分。

工人一　眼睛不還是眼睛？

鼻子耳朵全要分；

兵士還是兵士，

我們工人還是工人！

隊長　你也喝醉了嗎？

工人一　沒醉呵！

我說工人還是工人。

等你們政治安穩，

說不了，天地間的事，

現今說大家不分，

將來許又叫兵殺工人！

隊長　除非工人附和反革命！

工人一　工人反革命？（楞眼）

隊長　你喝得太多了——

工人二　我要問，那個殺兵的工人要不要抵命！

糾察隊　等待着審問。

工人一　抵命可不能！

糾察隊中三四人　要抵命你想怎樣？不抵命你也管不着！

工人一 我偏要管！

隊長 別胡塗！

工人一 胡塗就胡塗！

糾察隊 你想胡鬧？

工人一 胡鬧？哈哈！胡鬧！

糾察隊 隊長！把他——

隊長 你叫甚麼名字（喝問）

工人 不嚷不鬧，

不成世道，

請！請你老哥們高抬貴手，

糾察隊 嘿！誰還想奪槍不成！

工人一 那算甚麼！

（作準備打架的姿勢。隊長想爲他們轉擺。）

隊長 好好好！

我們賭東道——

一罈好燒酒，

活鮮鮮的一個人頭；

那個願輸的，

各自先下手！

工人 那算甚麼——

老三　老哥們！老哥們！

誰眞是好朋好友？

誰眞是寃家對頭？

老哥們！

天乾了三年纔一場猛雨呀，

那一個，大胆，提着鋤頭來決那水溝？

老哥們呀，

麥子並沒有豐收，

你們好不端端潑撤高梁酒！

唉！眞是農忙時候殺耕牛！

來！來呀！

我勸大家同喝一口合歡解氣酒？

除糾察隊而外的人　好！合歡解氣酒！

（工人們帶着憤急而嘲笑的神氣。喝酒。）

老三　來！（指糾察隊）你們幾位老哥也喝罷！

糾察隊　你們喝。

工人一　他媽的！眞好酒！

糾察一　他媽的！眞好氣！

（流浪人拿着半碗酒，走到衆人中。）

流浪人　酒呵酒，只要人間還有酒，

免不了爭鬥，
人間又不能無酒！

廣交游，交游識好漢，
好漢多從背後出，
識好漢，每當一席酒。

每當一席酒，
前一碗是莫逆交，
後一碗，寃家對頭！

同是一山虎，
也多見血氣爭鬥，
這是燒酒呵，可不是那虎骨酒！

大家再喝一口罷！
大家 好！
(喝

流浪人 人生本是各色酒，
能盡量喝各色酒，

能煽動各色的戰鬥！

如今，是勞動神聖，
如今，兵，勞動神聖兵，
將來人，都是勞動人。

一還一，二還二，
三下五除二！
資本家一類是王八狗子！
（全笑了。除糾察隊外都再唱——
一還一，二還二，
二下五除二：
資做家一類是王八狗子；）

流浪人　眞情實理嘗嘗愛酒醉——
人類生活本沒有是非，
非的是殘殺同類！

糾察隊　是！非的是殘殺同類，

流浪人　土匪翻得紳士們來用火燒，
我們被敵人拿去，用非刑拷打，
一打你便招，

"來!先上起脚鐐手烤!"
兄弟姐妹們,
一報還一報——
我們捉得敵人學打靶,
也有的兄弟要試試砍刀。
打野獸,射飛鳥,
生命當兒戲;
他放砍頭債,
我要他雁過落毛!
眞笑話,
　那有個兄弟們互相打靶,
兔兒也不吃窩邊草的啊,
醉了!那一位兄弟必定是太醉了!

　　工人二　一定是他太醉了。

　　工人一　無風不起浪。他醉了?

　　隊長　他確實醉了!也因爲那兵士和他鬧着玩,玩的太過火。

　　流浪人　人心有鬼火,
海底有暗潮,
風來潮更高,

惹動鬼火冒；

滿腔的悲痛呵，

一肚子的牢騷，

他不是凶手，

悲痛牢騷是凶手！

只要給他少悲痛，

給他戮牢騷！

不幸的兄弟！

悲痛把你槍斃了！

看着吧，那凶手醒來，

他像吃了一山斷腸草！

…………………………………………

自家兄弟姐妹伙，

誰還想吃斷腸草？

全體——

（如宗教的懺悔般肅靜好一會）

流浪人　我們同唱那第二狂歡歌？

全體　唱！

流浪人（數）勞，動，萬，歲——

（用勞，動，萬，歲，替代一，二，三，四，歲字喊出，大家就同時開唱。)

全體　點起火把遍處找，

找不到，找不到，

是一陣苦難人的緊急衝鋒號呀，

一陣陣緊急衝鋒號中我們碰見了！

是種種爭自由的高潮，

種種爭自由的高潮裏頭我們結合了！

吙吙吙…………

一陣陣苦難人的緊急衝鋒號！

吙吙吙…………

一種種爭自由的高潮！

我們碰見了！

我們結合了！

我們用水淹，火燒，大刀，槍炮，

我們前進，我們前進。

我們全世界的勞動兵！

水火越大我們越高興。

我們，我們——

全世界的苦難人在戰場上喊叫狂奔，

呵呀呀——

呵呀呀——

我們有的已經死去了，

我名有的在監牢！

敵人在宣傳我們狂暴，

敵人有的是法律，是監牢，

我們大批大批的無名小子都死了！

敵人假慈悲，

我們眞狂暴；

我們要慈悲，

不得不狂暴；

我們要要站起來，

我們得先先把敵人打倒。——

沒有錯，沒有錯，

世界歸我們，

我們歸人類，

誰把勞動剝削，

水火！我們都要用水火！

刀兵無情，

水火無情，

到人人勞動，個個歡樂，

刀兵濃情，

水火濃情；——

從此不唱我們這曲狂歡歌，

願那時的人類都把我們忘記了；

不忘記？

祖母呀，把我們說做神仙故事給你孩子們：

　你的孩子們個個親愛，

　你的孩子們人人精明，

他們要追問？

呵呵呵——

千百年後狂歡節花開，

我們再到這座森林來，

一陣陣苦難人的衝鋒號呀，

一種種爭自由的高潮，

變了！變了！通通都變了！

那時候，那時候的男男女女們多麼自由！

呵呵！我們爲人類把無限的自由追求！

無限自由的男男女女呵，

你們那醉人的言語，的歌聲，

　那生動，那生動得不了的肉！

呵呵呵——

　你們那想不盡說不完的美！

　我們不得和你們一塊工作！

　不得和你們兩三個口兒共一個金杯！

唉呀呀！呵呵——

　更不得，更不得，

　抱着一個美人兒去打瞌睡！

你們無限自由的男男女女呵別傻笑我們，

我們的確讚美而嫉妒，嫉妒而讚美，

你們傻笑？天——

天！不死的神仙！

天！我們好像在失戀！

天！——

　眞好笑，

　只要是愛，

　愛全不失戀。

　愛，不死的神仙。

好孩子，孩子們，

你們在工作，

你們飛飛舞，

你們歡歌，
啊啊！你們快樂，好快樂！
願你們做夢，
把我們夢在夢中；
別害怕，許多夢中人的--身滿是血——
我們是你們遠祖們的爸爸媽媽呵，
我們還想做你們的朋友你們的孩子呢！
你們夢一夢，
把我們夢在夢中。
看看！看看！
我們這裏還有幾個傻孩子，
別臉紅，誰哄你，
他，她想預約呢，
　預約你們中最壯勇的幾個卵子精虫！
哈哈哈哈哈……….
預約卵子精虫！
（大家笑做一團後，又振起續唱。）
世界勿論多麼苦，
總給人留戀，
自殺呵——

　並非世界不值得留戀，

　是要留戀不得留戀呵。

大家活着有法想，

誰又偏要幹革命的勾當！

你們，你們無限自由的男男女女呀，

你們的世界是多麼抒展而放浪！

親愛的！你們只差那地久天長；

親愛的，你們該怎樣怎樣，

　自然你們有更大的創造，

　你們該比前輩強！

………………………………

吹吹吹！兄弟姐妹們！

天在笑我們，

地在笑我們，

森林風海都在笑我們，——

笑我們長未來的志氣，

　滅却現在的威風。

你天地們不要瞎子包攤賣家——

你二部黃昏！

我們兄弟姐妹，

原爲求新生，創光明，
未來的男男女女們不就是我們的新生，
我們的光明？
橋把 話犂頭，
我們的水火風行，
我們要人類全走好運！
將來我們高興，
現在我們更高興！
悲痛的，悲痛的我們呵，
苦鬥的，苦鬥的我們！
我們和這大森林一夜相親，
將來祖母說把孩子們，
孩子們會跳起來——
"啊！這是想不盡，說不完，崇高的，壯麗的偉大夢境！"
我們悲痛，我們高興，
歡樂悲痛一鍋熬的高興呵！
高興呀！兄弟姐妹們！
全宇宙是一洪鐘，
風風風，一隻擣鐘錘是風，

我們高興把洪鐘撞動！

兄弟姐妹們！

撞鐘！

撞鐘呵！

撞鐘！

嘣……

嗡……

嘣嘣……

嘣嘣……

…………

…………

（沈默。一陣風起。突然青年又囈語——）

青年　啊！親愛的——天翻地覆嗎？——

（工人去抱柴添火）

青年　人類有救了？唉——

老三　（小聲）他心裏太苦！

青年　把他背起來！他——他受傷了——

隊長　我們走吧！

（糾察隊自己整齊當步走）

糾察隊　千軍萬馬，

要維持不慌不忙的步法；
一二萬人唱軍歌，
三五十人奏大樂，
前進呵，前進！
像個媽媽打鞋底，
針針線線要整齊。
…………

（人漸遠，聲也聽不見了。）

（大家沈默一陣，一陣後，有的躺下，有的走着玩，有的爬上樹——學鳥叫，學獸號……。忽然間聲人隱約歌曲四起——）

—— 有女人又有酒喝，
唱小曲又奏大樂，
日光怎過，
總是歡樂。
—— 無女人又無酒喝，
小曲子可不少，
日光怎過，
總不歡樂！
—— 有酒喝，
有小曲，有大樂，

沒有女人才眞不好過!

(口哨四起中間雜鳥聲)

有數人在林上輪歌:

"給我一杯涼水喝喝呀,大姐!
快要渴死了,
走了半天,肚子嗎也餓!"

"你這人,渴勞勞地要水喝,
喝慢些!你拚命?
跑熱來,拚命喝涼水會血噴心!"

"大姐,你比我那妹子好,
她才不管我這些;
大姐,謝謝!——"

"啊!快些走吧你一個生人!
噯喲喲!那邊來着的是我父親!"

"不要緊,不要緊,

你就說我是革命軍人；

我一一年多都在行軍。

大姐，不礙事的呀，

我而且是一個很有規矩的軍人；

我而且一一呵，

老伯們我也知道尊敬！"

（滿山口哨）

"井水鹹，話兒甜，

我眞害羞的要死，

分明是——兩個人立在井邊，

天！井水裏是幾個臉兒碰着臉！

天呵！你喝飽你快走了吧，

怕我弟妹鄰居誰聽見！"

（哨聲更起，鳥也更鳴了。）

"年輕馬兒飛飛走，

一去也，不回頭！

謝謝你，大姐，

我愛你害羞，

你別太太害羞呵大姐！
年輕兒飛飛走，
一去也，不回頭！
為了你害羞，
年輕馬兒又勾留。——
呵！妹妹門前馬櫻花，
　江邊桃，路邊柳；
　年輕馬兒總勾留。———"

"呸！誰是江邊桃，路邊柳！
喲！多少男兒求情愛，
　不如一隻搖尾狗！
不是嗎？——
　他才向這一個女兒賭咒，
　轉過臉，又向那一個賭咒，
真醜陋，不害羞！
最好不愛他，
才愛他，他當你是一朵花兒一塊鮮紅肉，
愛了他，不多久，
他就懨你是塊光骨頭——

原來他有的是嘴，
　他滿會賭咒！
（滿山笑聲和哨聲鳥聲
　門前馬櫻花，
　江邊桃，路邊柳；
　多丟　——啊——
　我原是多情的皇后。"

"我恨王家子
我愛那多情的皇后！
我更愛公主，大姐，
你不像皇后你像公主呀！

女兒家也有一張嘴，
女兒家更會瞎吹；
你說賭咒？賭咒呵，
賭咒才是女兒好拿手！

那邊有一座酒樓，
"本酒樓不賒不欠，

免開尊口，”

這種年頭可糟糕，

我們使着不兌現的軍用票，

吃罷了，要他找現洋，

商人最怕指揮刀，他敢說不找？

大姐呵，早晚市價不同，

我那會給大姐軍用票，

大姐你不會瞎吹賭咒，

我也萬萬不是搖尾狗；

我是隻最饒勇最饒勇的驥馬，

你公主愛我，你才是多情的皇后！

你低頭，你怕羞？

呵！三棒涼水就當三杯定情酒！”

“呸！你才眞眞不害羞！”

“呵！男到二十五，

不怕衣濫無人補；

女到二十五，

不愛情是老尼姑！”

（笑，哨，鳥聲四起。）

“我愛一隻飛飛馬，
　浪騣櫻花，
　日行三千，
　夜走八百不容乏。”

“走呵！我就是那飛飛馬！
沒有雞毛火炭店，
　草行露宿，
　那問日落星歸——
走呵！飛飛馬，
　浪騣櫻花，
　三百八！——
大姐，我的公主皇后，
從今你和我去踏破天下！”

“呵好馬好馬！
騎的我眼兒昏花；
天在我的頭上飛，

地在馬蹄子下流，

呵好馬好馬！

從今去周游天下！”

（笑，嘈四起，中有幾人跟著喊，好馬好馬’。接着是一陣沈默。沈默中老三和二姑娘去添火。——

大姑娘顛顛倒倒地從左山下上來，這時只聽得她的聲音——）

大姑娘　這椿無頭公案來日審，

誰殺人，山精們，去打聽。

好像二月家家來上墳，

爹娘兄弟姐妹死，

滿山的哭聲！

（上）

誰也不用哭愛人——

山茶初發蕾，

你哭壞了眼睛；

蘆花白頭夜，

夢中人自年紀輕輕！

多一個征夫，

多一個寡婦；

多一羣戰士，
多一座牢獄；
後來都死了，
多一山枯骨！

山無一滴淚，
江無一滴水；
呵你不在的情郎，
松枝絆馬蹄，
白骨任風吹！

（死的眼光向四週一探後——）

一個大監牢，
無數小監牢；
一個看着一個愁，
這山望着那山高；
激動情郎們與風光賽跑！

唉！死不分先來後到，
情郎偏要奪錦標；

火燒山！火燒山！

女兒似開花野草，

情郎必要拚命做人豪！

完了！完了！——

（歌妓尋着姑娘的路來，喊着：‘救我呀！妹妹！救我呀！……’大姑娘回頭一望：“唉！糾纏不清的！”歌妓上。）

歌妓　妹妹！你救我！救我！

大姑娘　我要躲開你——

（要逃，歌妓纏着她。）

大姑娘　我才把你躲開，你又來，你山精——

歌妓　救我呀！只有你纔能救我！

大姑娘　你飢餓，你吃人頭，

你冷，懷抱野火，

你受傷，農夫們知道草藥，

大森林中草藥多——

歌妓　都不是，都不是——

大姑娘　是甚麼？

歌妓　這軍中有我情郎，

敵軍中有我情郎，

情郎殺情郎，

情郎們都死在殺場上——

（大姑娘冷笑）

大姑娘　哈哈哈哈——

你好多的情郎！

那你還悲傷？

歌妓　我不是悲傷。

大姑娘　那你是瘋狂？

歌妓　也不是瘋狂。

大姑娘　不悲傷也不瘋狂。

——呵原不該悲傷瘋狂，我錯了。

你的情郎多四海，

死一情郎算甚麼，

死一情郎不過打翻一個浪中浪——

（要跑，被纏着。）

歌妓　你慈心的姑娘你不救我嗎？

大姑娘　我不慈心！

歌妓　我求你救我！

大姑娘　叫你的情郎救你去！

歌妓　我有的情郎在耕田，

有的情郎在工廠，

有的正爲我打仗——

大姑娘　呵你好多的情郎（冷笑）——

歌妓　有一個情郎爲我流浪，

爲我去賣唱四方；

他把我的愛情做中心，

唱來迷殺多少靑年人。

一月來一信，

信都是情歌；

他飄泊無定，

信不落名。

自從我也流亡起，

如今兩不通消息！

唉！情歌百卷我全失落了！

妹妹呵！天爲我流涕，你——？

大姑娘　他不是你惟一的，

而況他還沒有死，

別的——

歌妓　我說我要綁起竹桿擒月亮，

我要搭高樓梯抱太陽，——
這樣嗎，又有個情郎，
他去造一架飛機，
飛機造成他向天空中飛去；
慈心人，而今他也渺渺無消息！
大姑娘　好勇敢的情郎呵！——
還有呢？
歌妓　我正懷想着這個情郎，
有個少年跑來拉着我求愛，
我說，只要你能把那情郎給我找回來。
我和你立刻相愛。——
天！那知這個少年去後也不見轉來！

有一天我在山頭高望，
那，那，那天上不是我兩個情郎？
呵！他倆正在天頂上决鬪！
我叫地四山鳴響，
突然我的身邊站着一個放牛郎，
他請我騎他的牛兒回家去；
我說，你要我去也可以——

啊！我想說，要他上天去勸架——

　但他只有笨牛沒有飛行馬，

我轉過念頭，和他講笑話——

　你要我和你去也可以，

　但我一去要裝新嫁娘，

　新嫁娘要星星彩雲做衣裳，——

　我說的本是笑話，

　那知牛郎鼓膀上天飛，

　飛不起，牛郎跌死在山下！

　（稍停）

　　大姑娘　還有嗎？

　　歌妓　還有，你要救我我才說！

　　大姑娘　我且聽夠了再說。

　　歌妓　自從一個情郎死，

幾個情郎不轉來，

我決心三天不與誰戀愛——

　　大姑娘　哈哈！三天？（冷笑）

你好長的三天！

好虛幻的等待！

　　歌妓　三天還不夠受嗎？

試問人生有幾年?

人生有幾個三天?

大姑娘 呵——

(轉爲空虛的嚴肅。)

三天後又怎樣呢?

歌妓 我從高山頂向人叢走來,

半路又遇一個粗漢子向我求愛;

還沒過三天我怎好就自己打自己的嘴巴呢!

我說我心已無愛,

但他總糾纏,——

天!寃糾纏不開,

人生不能一個鐘頭沒有愛?

我指着那架高山——

誰爲我把一捧愛情種上山頭去栽,

黄昏到五更心血灌溉,

五更中日出,

挑空桶,奔東海,

白天只用東海水灌溉;

等到愛情花兒開,

要在一夜暴風雨中給我送花來——

花來我便愛，我愛！

　　大姑娘　花送來了嗎？

　　歌妓　他纔別我去半天，

天，又有一個讚美死的詩人來求愛——

詩人呵，沒有一個情郎死後再轉來，

轉來告訴我，死後的情況，

你能死後轉來告我嗎？

天！他果然自殺，他死了！

我守着他死，

守過了七十二日。

七十二日那晚夜，暴風雨！

果然！果然！

一個粗漢子果然送着鮮溜溜的愛情花簇來！

天！人死不復轉，

　趁那愛情花正開——

"遠行吧！遠行吧！

我的情郎詩人呵！

我就獻你這簇鮮溜溜的愛情花！

花常開，人常愛！"

天！我的獻辭沒說完，

轉臉不見那個粗漢子——

前三月，聽說有個粗漢子已投東海！

（暫停。大姑娘被沈迷了。）

歌妓　妹妹！只有你能安慰我！

大姑娘　唉——

歌妓　只有你。

大姑娘　你心不比我心碎多嗎？

歌妓　呵！你還當處女時代，

你的處女時代能救我！

大姑娘　不！甚麼也終歸破裂！

歌妓　只有你！

大姑娘　我是上帝嗎，也已是斷了翅膀的

——

歌妓　有上帝也不能救我呵——

大姑娘　呵，我的情郎也已喚不轉，

喚得轉，我願他爲你再去種愛，

愛花開，也在暴風雨夜給你送花來，

那死後的況味他也必定會能告訴你——

唉！唉——

歌妹　你情郎喚轉，

你能容他愛我嗎?

大姑娘　容他愛,容他愛,

燒酒不嫌燒,

那嫌醋呔酸!

歌妓　呵!你已經救起我生命的一半!

大姑娘　我討厭說救,——

我不能自救,我能救人?

歌妓　那麼你安慰了我一半了。——

大姑娘　還有一半呢?

歌妓　平地多窮人,

山中多好漢,

你想完全安慰我,

愛呀!只要你肯愛!

大姑娘　你——

你不是妖精,

你有這　淫;

你淫蕩的東西!

你勾我作下賤人?

你滾開!你下賤的妖精!

歌妓　你原是窮人,

你不愛天下窮人？

你年紀輕輕，

那有年紀輕輕不愛人？

大姑娘　我愛已經死去了！

（青年又致轡語）

青年　年紀輕輕！就愛的——親愛的——

（這聲音打動了大姑娘，大姑娘要跑，彼纏着。）

（山上有彈着琴的男女歌唱——）

女聲　婦人們向我勾引，

男子們向我用情；

我怕他們看，

打把遮羞傘；

也怕見他們，

見了怕動心；

夜夜燒爐香，

我郎像掛床頭上，

那怕夜夜夢我郎，

潮陰陰，床上只有我一人，——

我壯勇的愛哥呵，

小妹願爲你一生守貞！

（大姑娘極同情地回應——）

大姑娘　啊我壯勇的愛哥呵，

小妹願爲你一生守貞！

女聲　有天風吹我的遮羞傘，

冤枉！眞冤枉！

恰見一位笑臉靑年對面來！

我已走過幾條街，

南無！啊彌陀佛！

那靑年模樣總一般的在眼前！

呵！我急忙回到家來，

回家就去看着我情哥，

我求我情哥在天保護我，

我的天！我的天！

我的情哥像突然改變，

改變得一模一樣那靑年！

阿彌陀佛，

大慈大悲救救我！——

侈來我添一爐香，

我把愛哥像擱我的枕頭上——

"我的愛哥呀！你放心！

任她婦人們向我勾引，
　男子們向我用情，
我總死心踏地爲愛哥守貞！"
嗳喲喲！我壯勇的情哥呀！
　神靈共鑑，
　小妹妹夢裏偷人！
　幸虧一忽兒，
　情哥你闖進房來才把小妹妹嚇醒！
（大姑娘彷彿驚覺在另一世界中。）
　　女聲二　天！一地人頭席，
　大家都盡歡，
我何以抱琴獨彈！
　　男聲　嚇醒了，你醒了，後來呢？
　　女聲　自從我嚇醒，
下半夜我靜靜思量——
今生怎樣了呀今生怎樣了？
要要[illegible]得起情哥我怎樣了結今生？

呵！小和尚也承繼老僧的衣鉢，
誰完成我愛哥的壯志呢？

誰完成我愛哥的壯志呀？

我這般思量千遍又萬遍，

呵！我猛醒！

撥雲霧，

見青天，

山野城廓都發嘯，

我振起，起來抱我情哥發誓願——

就此一瞬間，我的情哥呀！

就此一瞬間，我闖進人環！

呵！一隻受重傷的母老虎下山，

她闖進人環！

（一陣奇默，大姑娘更受感動，她醒覺，他要繼續她情郎的志願了。但那空幻的，神經錯亂過的黑雲還未全吹散——）

歌妓　一隻母老虎下山，

就從今闖進人環，

愛情不是一隻毀滅脚，

愛情是野火，

今年放野火燒山，

明年草更肥，花更繁；

女兒們賽着打扮，

原來是花在人間，

　花向人間開！

　　大姑娘　唉唉——

　　青年　親——呵呵呵呵——

（青年又吐，一個農人急忙來招扶，招扶好又去添火）

　　青年　唉——我要死了嗎？

（又睡去。沈默一會。）

　　男聲　死平常，

瘋狂也平常，

自以為鍾情癡想，

牛兒家媽媽整豬樣。

無火是灰心，

火是愛情，

灰心不愛情，

我是愛情，

我不灰心！

我是船家子，

要愛也愛個盪舟的女兒，

一夜我賭錢，我被槍打死，
　她還不得知，
她還自搖着槳兒，
呵，白果花開無人見，
她一面搖槳一面暗相思——
隔了一夜她知我已死，
她咬緊牙關來殺敵！
愛情不是秋風葉，
愛情使得無花果結子，
要愛嗎？就愛這麼個盪舟的女兒！
（大姑娘奮起——）
　　大姑娘　姐呀！我不心灰！
我要那更暴的暴雷，
　更狂的狂風，
　更高的洪水，
　更大更大的殲滅的鐵錘！
姐！要沒有這些，
　我是生着死，
　說不上心灰！
親愛的姐姐！

要沒有暴雷狂風，

也沒有洪水鐵錘，

愛情不是秋風葉，

愛情使得無花果結子，

我孤孤另另，

我也決做一回美人計；

用我美，用我美

我將那敵人痲醉，我去！

殺不了幾個誓不回！

歌妓 你所要的通通有，

兄弟姐妹們來呀！

（大家跑來）

這就是我們的狂風暴雷！

我們的鐵錘洪水！

還有更多的幾十萬萬倍，

何愁不能把敵人搗燬！

不能一時把敵人搗燬，

也該狂歡節夜都狂歡；

不能把敵人搗燬，

死都死在一塊堆！

這裏呀，沒有名節也沒有是非，
有是非，是非兩分明——
伙着勞動者的是，
離開勞動者的非：
有名節，名節要懷胎，
胎產新人類！
幾人 叫我們來幹甚麼？
歌妓 兄弟姐妹們，
她要暴風雷，
要消滅舊世界的洪水，
要鉄錘，還要大鉄錘，
這些強有力的寶貝！
你們通通都有嗎？
大家 有！通通有！通通有！
我們就是這一些强有力的寶貝！
二姑娘 只怕她不願與我們同一類——
歌妓 不，他願了！
願了嗎？
（木匠搶上前堅强地，答覆——）
木匠 鉄錘！我就是鉄錘！洪水？我還强過

猛獸呢！大姑娘！只要你耐心！只有我一人，也爲你去報仇！報仇！——

歌妓！你看——

大姑娘　呵！兄弟姐妹們！大叔！

從今我和你們是一類！

我死，我還是我們的一類！

全體　歡迎！歡迎！

（青年振爬起來，夢頭夢腦的）

青年　歡迎誰？

全體　歡迎這位姑娘！

從今她是我們的一類！

歡迎！歡迎……

………………

（多人把大姑娘高高舉起，高叫「歡迎！」）

青年　才莫名其妙呢！

歌妓　把這青年也舉起，

他害的是虛無病！

（幾人立刻舉起青年，亂跳亂叫——一小小會，總司令和兩個衛隊從右上。）

總司令　歡迎！歡迎！

歡迎我們的總司令！

（大家放下來一怔，但見他莊嚴和氣，雄健而滑稽的神氣又一起笑了。）

流浪人　賊頭上揭帽子，

你猜我們是在歡迎誰？——

總司令　你們歡迎'歡迎'。歡迎的是'人'。

流浪人　好聰明的猜想呵！

（大家又笑了

兵一　你們歡迎總司令。

總司令　我的名字不叫總司令。

老三　請你猜猜這個謎：萬衆一心。

大家　猜中我們就歡迎。

總司令　勿論歡迎誰，

肥田滿天下，

總有我的份（𧶘）

大家　你猜！

總司令　我猜那是兵。

老三　再猜。猜着歡迎你。

總司令　肥田滿天下，

總有我的份，

歡迎沒有我，

你們吃了我的份(囊)？

（有些笑了）

老三　囊那是總司令！

（大家似得勝笑地了）

總司令　好，萬衆一心就是總司令。——

天下興亡，匹夫有責，

有幾個匹夫已經醉了吧？

大家　有幾個匹夫醉了——

（大家看着青年笑）

青年　匹夫醉矣，

天下太平！

（青年的一股痠乏氣，惹得大家總是笑着他。）

總司令　你着冷，

他幫你咳嗽，

一個不用招扶一個吧，

反正是自己親愛的兄弟姐妹們！

兵二　韓浜大醉了——

總司令　鬧亂子麼？

兵二　他悶着頭吃也悶着頭醉。

工人一　那一個工人殺死一個兵怎樣辦呢？

總司令　情有可原，他醉了；那個弟兄也太鬧的厲害了——平常說兄弟如手足，現在的我們該怎樣說呢？——

（右方有人叫“看把戲！看把戲！……”前一個耍着火球，後一戲吞火，他們背後跟着一羣人。大家閃開。拍掌。）

火球　我要流星你吞火，

吞火　噯喲喲，

火球　無錢我不罵你看呵皮，

有錢的湊和湊和！

吞火　噯喲喲！湊和！湊和！

火球　大街小巷全要過，

吞火　火活火，

火珠　錢少耶，一飩漲，

吞火　火活火，

火球　錢多去找姑娘熬米湯，

吞火　癢癢癢，

火球　張萬有，挖屁股，夾指頭，

他同我們耍死狗，

一文錢是命骨頭！

　　吞火　火活火，要死狗，

噯喲喲，命骨頭，

　　火球　你不給，該背時，

拉你兩張肉票子

三天限，款交齊，

遲一天，割耳朵，

遲兩天，割鼻子，

紅蒲團，金絲麵，

請你坐，叫你吃，

你家款交齊，

活人領死尸，

你家款不齊，

惹得爺生氣，

燒你心肝下酒吃！

　　吞火　火活火，

燒心肝來下酒吃！

　　火球　喔喔喔，

一個光棍，

十個幇摔，

不討不掙，

刮骨熬油點天燈！

　　夯火　嗳喲喲，刮骨熬油點天燈！

　　火球　伙計！

　　夯火　喔！

　　火球　要命？

　　夯火　要命！

　　火球　要錢？

　　夯火　要錢！

　　夯火　要錢不得命，

　　要命不得錢，

　　伙計！

　　夯火　喔！

　　火球　要錢是要命？

　　夯火　要錢也要命！

　　火球　呸！

要錢不得命，

要命不得錢，

要錢要命？

　　夯火　要命！

火球　要命吃泥吧，伙計，

細起腸子來！

吞火　呢，要錢！

火球　要錢不要命，

打起來！

耍起來！

（迴旋着）

二人和唱　要錢不得命，

要命不得錢；

一個光棍，

十個幫拵，

不幫不拵，

刮骨熬油點天燈！

（觀衆都拍手跳躍着）

火球　耍過東來又耍西，

東家嫂嫂是個大麻子，

西家有個美貌妻；

西家美貌妻愛我，

東家麻嫂嫂愛你，

同我快到西家去，

噯喲喲，西家那個美貌妻！

　　呑火　十個麻子九個俏，

俏中俏是東家嫂；

西家妻子眞美貌，

噯喲喲，可惜心裏有把殺人刀！

　　火球　沒有殺人刀，

美貌也無聊——

醋不酸，

酒不烈，

天下無強盜，

想想多無聊！

噯海海——

爲她心有殺人刀，

我才愛上她美貌！

（月出了。舞向左去——）

走走走，走走走，

西方走——

　　呑火　走走走，

尾着豹子西方走，

　　火球　豹子在後頭！

（下。大家拍掌大聲喝采。

聲漸息——）

總司令　那一位情郎新婚？
大家這麼高興，
兄弟們想做叔叔？
姐妹們想做嬸嬸？

男子們　我們要做爸爸，
她們想做媽媽吧——

女子們　他們是媽媽，
我們才是爸爸呀——

總司令　媽媽小，爸爸大？
八兩不是半斤嗎？

（笑）

女子們　我們是爸爸的爸爸！

男子們　孩子拉矢了——'爸爸！爸爸！'

（笑）

女子們　呸！

男子們　連合戰線！

總司令　還見個女人，
分明曉得她有二十三，

你問——

“小姐呀，你今年十六？

呵！最多像十八！”

她撇嘴，不回答，

她很歡心！

（男子們大笑）

女子們　嘔！嘔！——

總司令　遇小姐，叫太太，

你定挨罵；

遇着年輕太太叫小姐，

沒有錯，

叫化子們最懂這戲法——

女子們　嘔！嘔！

男子們　不是眞的嗎？

女子們　小姐是小姐，我們是我們！你們也是軍閥？

男子們　你們和軍閥打在一塊嗎？

女子們　啞！

男子們　你聽：一說話就‘啞！’，不要做媽媽？

女子們　呸！——

總司令　城頭上拉矢——

男子們　好高。

總司令　人愛高帽子，

樹愛長枒枝，

女子們　你們不愛高帽子？

男子們　不愛就不愛——

歌妓　‘人愛高帽子’，

你們不愛高帽子，

你們不是人了呵，

（女子們拍掌大笑）

總司令　再見再見！兄弟媽媽們！

男子們　你來我們沒唱歡迎歌，歡送你呀——

女子們　一送二送，

送你茅司洞！

總司令　且不出茅司洞。

女子們　我們在用手背拉你嗎？

總司令　明天新人難降生，

叫你們媽媽，

叫我們爸爸——

女子們　喔！孩子多乖呀！

再叫兩三聲，活寶貝，

還沒生出來就會學嘴弄嘴！

（都笑了）

總司令　走！小妮子們勝利了！

（總司令和兩衛隊動脚向右——）

總司令　太陽是我們，

月亮是女人，

女人偷得太陽光，

女人們擺迷魂陣；

夜晚是女人的天下呵，

兄弟們，要留心，

留心明朝你疲困！

戰士不能一天沒精神！

（男子們滿山嘯哨。續聞歡聲，但總司令和兩衛隊已不見了。——）

哈哈哈哈哈哈哈哈——

一笑山響應，

再笑山落平；

能[illegible]天騎龍，

鬪不過女人——

吹吹——

　歡慶我軍，

　我軍多殺神；

吹吹吹吹——

　歡慶我軍，

　我軍多有迷魂陣！

迷魂陣迷魂——

　一海碗一海碗的血酒呀，

　痛喝！痛飲！

　迷魂陣迷魂，

　沒有女兒們怎樣革命！

　奮勇的戰士呵，

　高貴的姑娘，

　無男兒像沒有血，

　無女人——酒，

　　酒能無酒精？

　呵！一海碗一海碗的血酒呀，

　奮勇的男兒！

高貴的女人！

孩子！孩子！

我們的孩子你何時降生？

（遠處口哨也響了。大家還細聽，但聽不見了。——有的細語，有的伸懶腰，打瞌睡，有的去添火——靜靜好一會，月是更高了，林明暗更清了——突然，糾察隊帶着些潛逃者上——）

隊長　呢！不說總司令在這裏嗎？

兵一　剛從那邊去！（手指右方）

隊長　你們等着，我去追他來——（向右追）

（有幾人驚異地圍過來——）

糾察隊　就在這裏把話說明也罷了，

（寂默一會。青年在火邊睡着——）

青年　兔兒不吃窩邊草？

流浪人　唉………

歌妓　從來你少有這麼長的歎氣呀——

青年　人還是人。

歌妓　沒有超人嗎？

青年　馬生角，猪下蛋！

農民一　我村有一個三隻脚的鷄。

（又一小會沈默着）

流浪人　北冰洋的冰風呵，飛過天山，
天山南北路陡起高寒；
狂流似的黃沙柱，
一股股，頂天立地的好漢。——
呵呵，風烈烈，更烈烈，
　黃沙柱殘斷，
　黃沙柱斷，黃沙船又飛滿天；
一陣陣，一陣陣突變，
天山南北路高七尺雪。——
他，探險人踏雪向南方走來：
"呵！我才奮過了北方的高寒！"

探險人才走到南方來，
太平洋突然急變，
是印度洋的熱風，
　印度洋的熱風過南海，
海浪剛剛打翻幾隻有名的總統皇后船；
探險人踏海浪奔過熱帶：
"呵！我又抗過了南方的熱帶！"

來從人間，

生活人間，

來從自然，

懷抱自然；

駱駝屎當水，

駱駝肉當飯，

把赤道化在天山，

他眞闖過了

大小種種的各色突變。

而今他還在，

他與時光正輪轉！

（被追回的三人不覺長嘆——

三人　唉唉……

（又一小陣寂默）

隊中一　隊長是追錯路了吧？

兵一　沒有錯。

（又一小陣寂默。寂點中，隊長和總司令跑來——）

總司令　那一位先說明理由！

文學家　我有種鮮明的隱情，

聽不懂這個，我甘願處分！

總司令　甚麼？你三位平素都是勇敢而忠實的呀——

文學家　現在我更忠實更勇敢，
不然，怎能這般時候開小差！
我們一集團，
生死本應在一塊，
這架山，防線外還有防線，
多少步哨守着這架山；
我敢逃出這架山，
逃出去，敵人的鷹爪隨時可以抓到我，
呵！我是一機械，
我到集團外去用機械，
集團外去爲集團——

總司令　這樣說，你沒有離開我們的集團。
但，你去當偵探？
煽動羣衆？叫敵兵謀反？

文學家　比這更大更大呵——

總司令　甚麼？

文學家　我來大半爲着藝術來，
去我全然爲着藝術去；

我原讚美鉄和血，
我愛戰士們火集大山，——
啊！我愛這般林月夜，
　我愛這般——
　一曲曲狂歌，
　一灘灘野火！
全生命已湧到最高度，
我心直衝衝，直衝衝，
我滿足，我歡樂地要哭起來了呵！
但我不能哭，
我心直衝衝，直衝衝，
我親愛的兄弟姐妹們！
原來生命火力漲到最高度，
　藝術火力也便漲到最高度，
現在我們給敵人一鍋熬下了，
眞的，這我一點不恐怖，
我恐怖，我憂慮——
我們中，沒有一個人敢離開我們去吃苦，
去吃苦，吃着苦，
　爲我們，去創造這一件最高的，

也空前而絕後的藝術！

藝術！藝術——

時代的產物，

生命力的產物，

火的產物，

血的產物，

鉄的產物

生命力的產物呵——

時代和着生命火力走，

大藝術是空前而絕後！

因此我悲痛，

悲痛未來人類失了這藝術！

我是貪生？是投機？

　是臨陣逃退？

啊，這一切自有實生活證明，

信不信，在你們，

逃不脫，我甘死。

兄弟姐妹們，那幾位？

請接受我一回最後的敬禮！

爲我們！

爲人類！

爲生命！

誰？誰？

那一位？那幾位？

請在這大藝術的生活中，

把幾件最雄偉的藝術完成！

這是永久的狂風暴雨，永久的火力煽動，永久的人類祭禮呵！

我來大半爲着藝術來，

去我全然爲着藝術去，

請先快快槍斃我！

鐵的紀律！

火的紀律，

我無悔，

我無恨，

恨只恨人不能飛，

我——

不怨自己，

也決不怨誰！

（稍停大家受刺激到一時無聲息。）

總司令　紀律是大家的議案，
大家同意時也可以推翻！
（農民一向農民二輕語——）
農民一　唉！甚麼‘藝術’！吃飯活着就好了
——
可是——你說怎麼樣？
農二　我說，這就死了很寃枉！
隊長　你應該告假！
文學　我來自己來，
我去自己去；
犯法我受刑，
誰是請客的主人家！要我告假？
兵二　告假當然是不准的——
總司令　（向哲學家）你？
哲學家　我？——
只是鐵，只是血，只是火——
一味的殘酷，以暴易暴，
一朝權在手，也未見得不一團糟——
滿足了這部分的需要，
就得壓迫別一部分人的需要。

新政權也不過代表佔有，

勞動趨勢不變更，

政權？政權能夠駕馭勞動趨勢嗎？

唉，一朝權在手，

革命者高呼萬歲，要做成自己的鐵桶江山了！

但那鐵血火誰得專有？——

殘酷的輪迴呵，殘酷的復仇！

敵我一樣似野獸似老燒酒，

復仇又復仇，何時罷休！

政權只在產生新豪貴，

政權助長大凶殘，

政權一月便腐壞，——

現在是最苦的人們供利用，供犧牲，將來那自由平等的鈔票總都不兌現，因爲一兌現，便足以搖動當時的政權。從古都是過河撩拐杖，

利用畢，兩分開！——

人性革命嗎？

人性改不改，全由自然，

我們究不能指揮自然。

如今科學家，

至多只能看通自然常識三兩頁，

那自然的經典還沒有一人能看——

……………

這便是我逃走的眞因：

我要憑多年的實地觀査，

再參考，要發明——

怎樣革命可以不動兵，少動兵。

不殘酷，少殘酷，

自由平等全兌現，多兌現，

政權也不拘泥着虛名，像蘇俄現在，

分明不全是無產階級專政，要偏

說那是無產階級專政！

進一步，要發明'人性要怎樣革命'！

現在我懷疑。——

總司令 我尊重那種發明。

一切生理，一切現象，

爲理化作用，

一切環境影響之總和所決定，

人果有人性？

獸果有獸性？

歐洲人，亞洲人，非洲人……

資本家，勞工，土匪……

這些有甚麼特殊的區分？

這要看那'決定'底的因素的成份。

現在的我們——

只在用血火，用熱情，用藝術，

　用最强最高的決心，

挾制着科學去戰勝環境，

　去創造環境。——

說人性？

手淫，欺詐等等都不是人性；

說人性，

　人性還人性，

　人類自然都天眞；

　天眞的自由人遇自由人，

　勞動的，戀愛的，藝術的，科學的，——

　一切音樂似的園門全打開，

　人類還有甚紛爭？

　有紛爭，那紛爭必甚可愛！——

最要緊是我們能夠看清那'決定'，

我們又有力量大半決定那'決定'!
人性無所謂善惡,
而人性也必能用可能的人力漸漸決定。
不是嗎?
　只要能分析那決定的因素,
　隨時代,盡可能,
　　漸漸把適宜的因素造成。
一切在動在變着,
隨時代的變更:
現在我們以爲最美最善而最科學的,
這於將來人的生活未必都適宜——
人與人的關係呵,
人與自然的關係呵,
請留心那'決定'吧!
我們只在盡力,盡可能。
別懷疑那未來的光明,
我們是勞動中心。
懷疑也得一伙往前去,
我們懷疑自己的力量吧!
但不能因懷疑而否定我們自己。

應該由事實創造理論，由實行證明理論。(稍停)
殘酷不始於我們，
看敵人們設下的種種圈套呵！
　以火攻火，
　以毒攻毒，
　我們決不做那可憐的耶穌！
這樣的環境，
革命那能不用兵！
有兵戰無兵，
刀切豆腐，
我們是豆腐？
自然，那些不在我們隊伍的，
　做科學的發明，
　　改造的宣傳，
　　憑生命，創火力的藝術，
　　那種種局部的創業——
我們都決不視為異類；
就有嚴厲批評我們的，
只要批評立在勞動階級人類合理生活上，
而那批評果出自真心，

我們決不仇視那批評。

呵！我們幹的是甚麼勾當？

我們的一羣，十指連心，

　關係都比人家兄弟姐妹更切近。

我們有最高的慈悲，

　也有最高的殘忍，

　　是最毒，

　　也最仁——

　特殊的環境，

　特殊的行爲。

說到奪得政權呵，

我們不是常常顧慮一批新的佔有者產生？

我們是勞動中心，

我們自然以這來決定實行。

至於我，本來是，就只說是半個工人吧，

我敢相信——

　隨時隨地都能走進農塲工廠去。

　假有些人捧我作新貴，

　我必把他燒成灰，

　我必做一切新貴和舊貴敵人！

自然，我不等於政權，

政權我後怎樣，那又當別論。

兄弟姐妹們，建立世界勞動政權呵！

我們一面求深遠，求偉大，

一面呀，火燒眉毛顧眼前！

我們是光棍，

光棍不吃眼前虧；

我們要抓緊現在；

　抓緊那不很遠的將來。

我們也不可爲後代人設下了許多圈套，

後代人的事，自有後代人去幹，

他們不能幹，

我們多管也枉然。

我們祝福他們更能幹！

兄弟姐妹們，風火山！

呵！我們困在風火山！必要殺出風火山！

（稍停）

　哲學家　我們——

　癡情人　別說了！夠了！

無味的辯論啊，

要殺快殺，

要幹，大家又同伙幹！

農民一　一顆穀子一顆米，

說齊天 講齊地，

逃跑的，犯規紀。

農民二　叫殺我們就去殺，

他娘的，

我們只曉得吃喝拉撒！

兵一　他說話倒很痛快，他逃跑的理由必更有趣呢！

工人一　不遠處有幾家婊子，

一定是弄得幾個錢想去歪一歪吧！

癡情人　我刮錢眞多，

銀行老板都爲我收着；

那些婊子不愛我，

就因我有錢太多。

（一兵和工人笑了）

隊長　小資產階級得過且過，

知識份子，游離階級能得游離且游離，最討厭是

肯把些只名詞不同的意見來裝飾自己。

這種階段我經過，

如今我才是我們中一個死心踏地去幹的。

這們同路人，能同一程算一程，

他們原不是勞動中心，他們的革命性實不堅定。

我們是刀在頭上，

　槍在胸膛，

　生死兩分明，

　用不着多想。

世界許多工人不大能與我們同戰線，是他們有小富翁的希望了；

還有些兵工廠的工人，

輪船上的茶房，

他們可以敲竹槓，

有時候，要他們罷工可以，

要衝鋒，他們與不容易動，

這些位先生，有時幹起來實在猛勇，

貓耳毛發了，現原形，

有時甚至於會反革命——

　　文學家　反革命？你說——

　　總司令　照你們逃跑的原因，

是更忠實於革命，

你們可不想——

這行爲可以搖動軍心！

（稍停）

科學有例外，

難道你們的行爲不能用階級判斷？！

隊長　立在現在大家的觀點，他們逃跑實在不應該——

文學家　在我們的觀點是應該；

我就想作一個例外；

超階級也並非絕對不可能；

生命，只要能抓緊生命！

總司令　我們在作例外的革命嗎？

我們的生活旣已是最高的實行藝術，

還要騎着馬兒去找馬，

離開藝術找藝術？

我眞不了解——

不在火力場中創造活藝術，

必到幽靜處作死藝術！

假使我們敗亡分散了，

只有你幾人存在，
那你找片幽靜地方創作也可以；
你有力，創作外還須接着又幹去！
這無限大的舞台還不夠你縱橫嗎？
去到一間小屋裏，亭子間做夢，
　自以爲是天馬行空——
兄弟！藝術不在生活上直接痛快，
　作品必然失效於未來！
輕微的問題是逃跑，
內在的問題是生活的戰鬥必要，藝術必要！
請想一想吧——
小至一夥露水養棵草，
多量血爲藝術栽培，
只要幹，這人死，還有那人創造，
　幹，只要幹，幹不是徒勞！
　　文學家　人類的狂潮呵，
至今日而最高最大！
地層中見鹿角畫，
才知岩洞裏有古人家，
那原始的力，遠古的文化，

不停地向後代激發——
過去了！過去了，總都過去了！
激發着，激發着，仍在激發着！
我——
　逃出這裏天羅網，
　又進那裏天羅網；
　我以生命換我愛，
　換不下，我死亡，
　換得下，
　　熱血的表彰，
　　戰士們多一席酒，
　　旅行人多一灣水，一袋乾糧！
　　流浪人　朋友呵！我平下心來——
我們至少要吃飯。
現在你離開我們，
那裏容得你存在？
就是藝術界也早成商場，
　商場何處不壟斷，
　幾個資本文人在壟斷！
你作工？一時無工作，

你賣稿？你是名人嗎？
非名人的稿子最難賣；
眞眞有生命火力的藝術也無人敢買！
不如你作工，你創造，
　仍在集團中；
　仍在集團中，
　生活與藝術
　　也較有一致的律動。
戎馬洶洶，長篇大作自然不好弄；
簡短，炸蛋似的簡短！
必要作長篇，也非不可能，
按着我們行動律，一個個連續的炸蛋！
你離開我們，到你賣文無處賣，
工作呢？吃飯呢？
　甚麼長篇！

眞藝術，倒不見得失效於未來。
　可多失效於現在，
少人唱，少人聽，少人看，
縱有幾人了解，

分明想讚美，
偏暗中說壞！
大的火力藝術場當絕對公開，
但你不是那般區區摸摸的小妖怪，
他們總怕要闖進來。
眞的，那些卑鄙十足的文商呵！
你眞創下個絕頂的好漢，
文商最多用暗箭，
他們自然不敢在你面前擺擂台！
但你很多失效於現在，
肚子餓了抓不開！
你看那班裝腔作勢的文商們！
唉！大的火力藝術場正在懷胎！

你說那最高的狂潮？
我看，最高的一段還在後頭，
在不遠的將來。
朋友，你不要遠離我們！
你剛離開高潮來，
你將吃悔不曾親當這最高這一段！

死於你我本平常，

狂烈於新時代藝術的青年何止一兩個，

我死了，你可以創作，

你死了，他可以創作，

狂潮中無時間無精力創作，

可在行動浪線的某一小風波中去創作。

文學家　呵！好友們！同志們！

火的山，

情的海，

鐵樹花重台，

好友們的愛！

好友們！同志們！

我又熱忱忱地歸來了！

我請處罰我！

處我死，我仍感覺好友們的愛！

總司令　啜！愛的海，

愛的山，

只要鐵樹花重台，

最多是留軍査看。

哲學家　我提出一個問題，生死關頭的——

癡情人　夠了！夠了！

不要空理論，

要實際的人生；

解剖鳥兒不如聽鳥聲，

長討論，不如簡短抒情！

再討論，再討論，

愛情眉梢忽然有縐紋；

書本說，你說好長時間才丟精，

你把懷裏人忘情，你在嫖書本。——

查看就查看，

檢驗就檢驗，

時光多緊急，

放下工作來吹噓？

（大家輕笑）

總司令　時光緊急你還逃走呢？

癡情人　請處分我逃走這回事，

不必問逃走的原因。

兵農工　你說說倒有趣呢！

癡情人　可不必！

兵農工　我們請你！

癡情人，可不必！

兵農工　今夜本是狂歡節，

肚子瀉的盡量瀉，

你瀉呀！

癡情人　天！愛情眉梢更多縐紋了！

流浪人　她等我，她等我，

一春又一春，

今年夏是過去了，秋呵！清秋呵！

她還能再等再等？

再等，一山林葉又落盡，

天！樹心一年長一輪，

那美人，那眉的縐紋！

（笑）

癡情人　別笑！眞的——

大家想想，那美人的縐紋！

三年旣沒爲成革命死，

那管誰笑，逃往愛人懷裏是偸生。

爲獻愛，獻大愛，

我投身革命，奮力革命；

爲靑春，捨不得愛人靑春，

　我離開革命。

分明知，紀律似鉄，似火，

爲美人，爲青春，還怕火燒鉄打麼？

被擒回來了，被擒回來了，

心呵鉄更打，火更燒！

那末，要幹，幹吧！

反正只有幹！

維持鉄律的是血；

維持火律的也是血，

血的白日血的夜！

我們是——

　一手抱新生，

　一手抱燬滅；

好友們！幹！我幹！

不幹綯紋起，

幹也綯紋平！

我的愛人就愛我能幹！

　　農工兵　是呀是呀，她愛你'幹'，

你不能幹她就不自然！

（大家哄笑了。這時，看不清的山上下來兩個人，一撮口打哨。

一彈舌打哨——）

—— 下面的老哥們！

（打哨。大家驚默着往上望——）

總司令在嗎？總司令：——

………………

………………

總司令 在——在！

（順着發問處跑去。大家驚默着往上望）

—— 這兒！這兒！

總司令 甚麼事？

（報信者向下跑着——）

報信者 我送來更大的歡樂！更大的野火！我們抓住敵人底咽喉了！

總司令 甚麼？你怎麼來的？

報信者 一言難盡！好在眞的來到了！

總司令 你快說——小聲些！小聲些——

（大家聽不清他倆在說甚麼，但都驚望，細聽着——一會兒——

工人 聽不清——

農人 眞難受——當着大家說不好嗎？

兵　軍事秘密！

隊長　大概我們有救了——

文學家　最高的一段？

工人　不會是壞消息吧！

兵一　你不聽見嗎'抓住敵人底咽喉了'！

兵二　說不定；許是故意穩住我們的。

（總司令大叫一聲——）

總司令　好！

（總司令，報信者和兵飛跑下來——）

總司令　集合！叫這面山的兄弟姐妹們集合！

（大家飛跑叫'集合！集合！……'一會滿山只見着人影。風冷，又有人添火。月幾乎當頭。總司令和報信者站在一個高坵上——）

總司令　兄弟姐妹們，

這一位冒險來的同志報告，

報告那最好，最新鮮的消息給我們！

我們歡迎這位同志帶來的報告！

我們歡迎這一位同志的冒險精神！

我們歡迎這一位同志的忠實勇敢！

合唱我們我們的歡迎歌呵——

勞動萬歲——

全體合唱 ——

槍斃，槍斃那些賣弄我們的！

歡迎！歡迎所有忠實我們的！

我們，忙不及一個個給你握握手，親親嘴

你看着，你聽着我們，

像千百個太陽大的一塊鉄燒成鉄水，

我們高高舉起千百個月亮大的一把鋼錘，

就是這麼様

闔啦啦 —— 闔啦啦 —— 闔啦啦的三聲五聲呀！

吹吹！飛飛！

吹吹！飛飛！

火花滿天飛！滿天飛！

這就是我們的歡迎！

這就是我們的誠心！

忠勇我們忠勇我們的呵！

永永遠遠地忠勇我們！

好了，好了，讓我們爲忠勇的同志高叫三聲：

闔啦啦啦啦……歡迎！

闊啦啦啦啦……歡迎！

吹吹吹吹吹吹……歡迎！

（接着是一陣滿山拍掌

報信人　兄弟姐妹們！

我們這樣的苦苦戰鬥，

我們也快翻身了！

我們也快自由了！

窮苦的人類也快翻身也快自由了！

大家也和我高叫三聲：

"被壓迫的工農兵連合起來！"

全體　"被壓迫的工農兵連合起來！"

報信者　"打倒一切混賬王八旦！"

全體　"打倒一切混賬王八旦！"

報信者　"自由！我們奪取人類自由！

我們高叫人類自由！"

全體　"自由！我們奪取人類自由！

我們高叫人類自由！'

（一陣風起——）

總司令　播音號筒拿來呀！——

（風更起）

兵一　在這裏——

(兵遞簡給報信者。)

報信者　好風！好自由的狂風呵——

兄弟姐妹們！

我們被圍困，

我們苦苦鏖戰這麼久，

鐵血火不斷負我們——

　從今我們有救了！

　人類有救了！

自由人類的喊聲，

自由人類的旗子已經飛躍五大洲！

兄弟姐妹們，

各國資本家那幾隻狗，

狗子們，都在強吃中國這塊老肥肉，

爲了中國這塊老肥肉，

狗子們，那怕打破鼻子播壞頭！

狗子爭着打着吃我們，

從前我們想：

假使中國有獨立的政權嗎，

中國要開發中國的生產建設，

用種種平等的條約與歐美資本家合夥，
'利益均沾'，
把些中國財富的紅利送回 美去，一些分給歐
美勞動者，
那末，歐美無產階級的革命
必定可以和暖得幾年。
但是，中國的官僚豪紳地主資本家，
牠和帝國主義暗暗明明吊膀子——
中國官僚資本家都不像歐美的坦白，
他們一天天高唱'調和勞資'，
實際一天天更控枯勞動者；
中國勞動者不能夠解決本身問題，
各國勞動者也不能夠；
世界勞動高潮是互相激起互相推動的！
兄弟姐妹們，
自從第一次世界大戰，
歐洲起了幾個新興國——
復古的也有，
民族自決的也有，
蘇聯確是革命的，

那怕自從列甯死後，

有幾個領袖已向反革命那方向走。——

世界的問題呵，

是勞動者翻起身來的問題！

是自由人類的問題！

第一便是中國這塊老肥肉，

　最能引起世界第二次戰爭。

歷史告我們——

一引起國際戰爭，

少不了有國內革命，

國際戰爭呵，帝國主義很害怕，

　怕引起國內勞動者和殖民地革命；

這些問題他們通通想透了——

　怎樣免得了世界戰爭，

怎樣使用外交，使用炮艦，使用工商業，

怎樣去妥協，怎樣去洞嚇，

怎樣吊膀子，怎樣維持舊勢力，

這些他們通想透了。

但我們，啊，被壓迫的人類總得要吃飯，要生存要自由！

兄弟姐妹們，現在是——
我們被壓迫的人類連合起來革命的時候到了
兄弟姐妹們，
我就是，我就是冒着險送這個消息來給你們的
——
現在，歐洲多數勞動者已經動員，
美洲日本的勞動者動手響應，
印度要自由印度，
朝鮮要獨立朝鮮，
各處，各處殖民地都預備殺起來！
東邊殺起來，西邊殺起來，
四方都在殺起來，
"自由人類"的大小旗幟呵，
"勞動階級萬歲"的大小旗幟呵！
"打倒帝國主義"的大小旗幟呵——
吹！"自由人類"吹革命風已經普遍！
兄弟姊妹們，
這是怎樣驚天動地的一個消息呀！
我看見，你們個個人的心都在狂亂，
（風更起，雲捲月，）

吹吹！狂風更起了！
全世界的狂風伙着暴雨也更起來了！
你們個個在捏緊拳頭，
你們心似狂風直往外面奔。
還有更多更多的消息呢——
全世界同情於苦難的科學家 文藝家，
他們在用各種方法去宣傳——
連合起來！連合起來！
爲被壓迫的人類大戰！
爲自由的人類大戰！
中國沿海沿江沿鉄路，那鑛山
都已經罷工的罷工，開火的開火，
好些地方的農民都接着接着暴動，
就是那一班好鬧意見的窮靑年，
　到了這般時候也在伙着大團結
敵人隊伍中還有我們不少的朋友呢。
兄弟們！姐妹們！
全世界勞動者的火，
燒起血海那麼樣的鐵，
我們就要用那千百月亮大的鎚，

鬪啦啦……

鬪啦啦啦啦……

飛飛飛！飛飛飛！

鐵血火滿天滿地飛飛飛！

兄弟姐妹們，

飛呵，飛啊——

要飛下——

光明的人類：

愛的人類！

自由的人類！

鐵血火在我們手，

從今更要大戰鬪！

歐洲戰士們自由歐洲，

中國戰士們自由中國，

現在我們不該再駡日本小鬼子，

日本戰士願我們一同自由亞洲，

各洲被壓迫的人類連合！

我們要自由人類！

　自由全人類！

來：我們高呼——

"我們自由勞動自由人類的時候就在眼前了!"

全體　"我們自由勞動自由人類的時候就在眼前了!"

(山右火焰暴起,風勢更狂大——)

農民一　(突然驚風)呀!那邊火起了!那邊——右邊——

全體　(驚望)救火呀!救火呀!——

(風火更凶猛地撲來,叫動中——)

總司令　兄弟姐妹們!

把那山左一遍燒起來,

燒起來撲滅,

以火攻火以火攻火呀—

(風火更凶猛,月變色到不能見,山林火似海狂濤——)

雜聲喊叫　——

吹吹吹……

飛飛飛……

火飛飛……

光明的我們!

自由的我們!

光明的人類！…

自由的人類！

人類！……

人類……

（滿山都在風火狂潮中）

聲漸遠 ——

吹吹吹……

人類……

火的人類啊……

由自……

自由人類……

（遠處緊急號聲都起了 全世界在風火狂烈中。

………………

………………

全劇完

一九二九 一 二十一日 天明時。 仲平

一九三〇，五月初版

實售大洋一元

創作人　柯仲平

編輯者　火力場同人

出版者　上海新興書店

總發行　上海書報郵售社

印刷者　上海新國民印書局

火力場同人著作預告

1. 火力場的我們(詩歌) 柯仲平著
   (已付印 新興書店出版)
2. 案(長篇) 克農著
   (已付印 泰東圖書局出版)
3. 良心的動物(短篇) 克農著
   (已付印 南京拔提書店出版)
4. 戀愛與創造(長篇) 高歌著
   (出版處未定)
5. 巨盜(短篇) 尙鉞著
   (出版處未定)
6. 鐵的龍(詩歌與散文) 介青著
   (出版處未定)
7. 英特納雄納爾(長篇) 尙鉞著
   (出版處未定)
8. 新興藝術論(論文) 柯仲平著
   (出版處未定)
9. 你，灰色的狂波(詩歌) 尙鉞著
   (出版處未定)